数えないで生きる

岸見一郎
Ichiro Kishimi

新書版のためのまえがき

本書はコロナ禍の真《ま》っ只中《ただなか》で書いた。いつ終わるかわからない不安感はあったが、何が人生で大切かをじっくりと考え抜く日々でもあった。

本文でも引いたパオロ・ジョルダーノは「大きな苦しみが無意味に過ぎ去ることを許してはいけない」（『コロナ時代の僕ら』）といっている。これほど個人を、そして世界を変えることになったコロナウイルスが消えてしまったわけでもないのに、コロナ禍が存在しなかったことにすることは、大きな禍根を将来に残すことになるだろう。

コロナ禍で前ははっきりと見えていなかったことが見えるようになったと私が思うのは、人は生きている（life）だけで価値があるのであり、等しく価値がある誰かの命（life）が誰かのために犠牲になるようなことがあってはならないということである。コロナ禍でどれほど多くの人が毎日亡くなっているかを知ると心が痛む。

それなのに、次第に感染した人の数、亡くなった人の数しか気に留めなくなる。今は感染者数すらわからない。このようなことは政治の問題ではあるが、今の時代の価値観にも関係があると私は考えている。

自分が生きているだけで価値があるというようなことは考えたこともない人が多いかもしれない。まず、自分の価値が生きていることにあることを知れば、他者の価値も生きていることに見ることができ、ただ数として見ることはなくなるだろう。

生産性で人間の価値を測る人は、経済的に価値を生み出さないような人はこの社会では不要だと考える。そのように考える人は、自分自身もやがて老いるとは考えたこともないのだろう。

感染症の流行や天災は今後も起きるだろうが、その時、それらを人災にし、死ななくてもいい人が死ぬようなことになる社会にしてはいけないと思う。そのためには、人生(life)において何が重要かをしっかり考え抜く必要がある。

人生では、本当に大切なことは数えられないし、時に合理的ではない選択をしなければならない。ところが、今の社会においては、無駄なことをしないで極力効率的に生き、決して損をしないために、あらゆることが数えられる。

ソクラテスの流れを汲むギリシアの哲学者であるディオゲネスは、彼に時計(ホーロスコペイオン）を見せた人に「それは、御馳走《ごちそう》に遅れないためには便利な道具だね」といったと伝えられている（ディオゲネス・ラエルティオス『ギリシア哲学者列伝』）。ディオゲネスは、時間に縛られて生きる現代人の姿を予見しているようである。

ドイツの哲学者であるカントの散歩する時間はいつも決まっていて、ケーニヒスベルクの人々は、カントを見て時計を合わせたという逸話が残っている。カントは、貧しくても時計は最後に売るものだといったとも伝えられている。カントの規則的な習慣は時計によって得られたものだったのである。

規則正しい生活を送ること自体が問題であるわけではない。カントが散歩したのは思索するためだったが、規則正しい生活を送ること自体を目的にして生きるようになると、早起きができなかったというようなことがあれば、それだけで厳しく自分を責めるようになるかもしれない。

先に引いたディオゲネスは、生活上の必要を最小限にまで切り詰め自足した生活を送っていたが、ある日、手で掬《すく》って小川の水を飲む子どもを見て、「私はこの子に負けた」と持っていた頭陀袋《ずだぶくろ》に入っていた茶碗まで捨てたという。持ち物を最小限に抑え、無駄を徹底的に排除する究極のミニマリストともいえるが、何でもかんでも捨てていいはずはない。

真の読書家は読まない本は処分しようなどと考えないだろう。効率的に生きること、無駄をなくして生きることが生活をかえって縛ることはありうる。

生活を効率的で無駄のないものにしようとする人は、人生も無駄なく効率的に生きようとする。高校生の時、倫理社会の授業で古代ギリシア語を教わったことがある。ギリシア語のアルファベットの読み方を習い、その後、『ヨハネ福音書』の一節を読んでもらった。そのことが後に私がギリシア哲学を専攻する端緒になった。

しかし、大半の同級生は大学受験に関係がないと興味を示さなかった。人生の目標——さしあたって、大学に合格すること——を設定し、受験の日まで後何日あるかを数えていた彼らにとって、その目標達成に必要のないことは無駄なこととして排除しなければならなかったからである。大学を卒業後の人生も設計していたであろうが、その人生にも無駄なことはあってはならず、寄り道、回り道をすることなど思いもよらなかったであろう。

しかし、そんなふうに無駄なく人生目標を達成するべく生きていても、不意に行手《ゆくて》を遮るようなことが起きるのが人生である。突然、病気で倒れるようなことがあれば、命が脅かされ、生活の基盤が揺らぎ、先の人生が見えなくなる。

この人生は有限である。だからこそ、無駄なことはしないで効率的に生きることが必要だと考える人はいるだろうが、有限だからこそ、本当に大切なことが何かを知っていなければなければならない。

その大切なことは数えられない。それは端的にいえば幸福だが、量的な、つまり数えられる成功を目指して生きていても、少しも満たされていないとしたら、今、本当に自分がしたいことをしていないからである。誰にも理解されなくても、自分の人生なのだから、自分がしたいことをして生きていけないわけはない。

明日という日がどうなるかわからない。そうであれば、大切な人と諍《いさか》いをしている場合でない。人が生きられるのは、過去でも未来でもなく今しかない。過去を思って後悔したり、また、未来を思って不安になったりしないで、過去のことも未来のことも考える必要がないほど満たされた時間を過ごしたい。

本書が、そのような時計では測れない時間を過ごし、今日という日を今日という日のためだけに丁寧に、そして、豊かに生きるためのヒントになれば幸いである。

二〇二三年　六月

岸見一郎

大事なことは何か～はじめに

病気になったり事故や災害にあったりすると、何が本当に自分にとって価値があることなのかを考え直さないわけにはいかない。そんなことを考えたこともないという人は多いかもしれないが、このような経験をすると、これまで価値があると思っていたことが、少しも大事ではないことに気づく。人生はいつまでも続き、明日という日がくることが決して自明ではないことを思い知らされるからである。価値があると思っていたことというのは、お金や名誉や社会的地位である。歳を重ね、若い頃には何の問題もなくできていたことができなくなった時にも、多くの価値があると思っていたことに価値がなかったことに気づく。

哲学者の三木清は人生を砂浜で貝を拾うことに喩《たと》えている。この砂浜の彼方《かなた》には大きな音を響かせている暗い海がある。これに気づいている人もいれば、気づいていない人もいる。

ところが、「何かの機会が彼らを思い立たせずにはおかなかったとき」籠の中を調べてみると、かつて美しいと思って拾い上げたものが醜いものであり、輝いていたと思っていたものが光沢がないものであり、貝だと思っていたものがただの石であることを発見する。「しかしもうそのときには彼らの傍に横たわり拡っていた海が、破壊的な大波をもって襲い寄せて彼らをひとたまりもなく深い闇の中に浚《さら》って行くときは来ておるのである」（『語られざる哲学』）

「破壊的な大波」は死である。死は生涯せっせと拾い集めた貝と共に人を深い闇の中へと浚っていく。人生の終わりに死が待っていることを知らないはずはないのに、なぜ貝を拾い集めるのか。

三木は「一瞬の時をもってしても永遠の光輝ある貝を見出して拾い上げる」ことができる人がいるともいっているが、そもそも貝を拾い集めないこともできるはずだ。生きることが貝を拾い集めることとかは自明ではない。

自分が拾い集めた貝が価値のないものであるのを知るのは、破壊的な大波が人を浚っていく時だけではない。中には、死を目前にして初めて気づく人もいるだろうが、死よりも前に老いや病気を経験して気づくことになる。

もっとも、何を経験しても変わらない人は変わらない。病気で入院した時には、元気になったらこれからは違う人生を生きようと決心した人でも、よくなると病気になったことも忘れてしまう。

今の時代は新型コロナウイルスが世界中で蔓延《まんえん》し、目下、症状がない人でもいつ何時感染するかわからないという不安の中で生きなければならないが、自分だけは感染するはずはないという根拠のない楽観主義で生きる人は多い。コロナウイルスに限らず、誰もがいつ何時病気になるかわからない。もちろん、病気になりたい人はいないが、これまで自分が病気になることなど少しも考えたことがない人でも、今は誰もが可能的な病者である。病気で倒れた時と同じように、人生において何が重要なのかを考え始めると、その後の人生は大きく変わらないわけにいかない。

イ・チャンドン監督の『バーニング』に、登場人物の一人が、アフリカのカラハリ砂漠のサン族には、リトルハンガーとグレートハンガーがいると語る場面がある。リトルハンガーはお腹が空いて飢えている人、グレートハンガーは、人はなぜ生きるのか、人生の意味、生きる意味を問わないでは生きていけない、人生の意味に飢えた人である。

何の躓《つまず》きもなく順風満帆な人生を送ってきた人は人生の意味を問おうとしないだろう。

当然のように、お金、名誉、社会的地位を得て成功することを人生の目標にし、その目標を達成するために人生設計をする。

アドラーは次のようにいっている。

「一般的な人生の意味はない。人生の意味はあなたが自分自身に与えるものだ」（*Alfred Adler: As We Remember Him*）

これは人生の意味がないということではない。「一般的な」人生の意味はない、誰にも当てはまるような人生の意味はないという意味である。

誰もが最初からグレートハンガーだったわけではない。人とは違う人生を生きようとしなければ、皆と同じように生きることに何の疑問も持たなければ、グレートハンガーにならって悩まなくてもよかっただろう。

失敗や挫折、また最初に見たように、病気、事故や災害を経験して、人生においてそれまで本当に価値あるもの、大事なものが何かを考えていなかったことに気づき、人生の意味を考え始めるのである。それが一体何かはこれから考えていきたいが、考察の緒をどこに求めるかを最初に見ておきたい。

まず一つは、自分の人生を生きることである。多くの人が疑うことなく目指す成功は、決して唯一絶対の人生目標ではないが、皆が目指しているからといって皆と同じ人生を生きようとする人は、自分の人生を生きているとはいえない。自分でどう生きるかを決めて生きているわけではないからである。

成功しても幸福になれるとは限らないということである。貝を拾い集めることに喩えられるような成功などしなくても、幸福に生きられる。

最近妻を亡くしたばかりだという七十代の男性がインタビューに答えて「仕事なんかどうでもよかったのだ」と話しているのをテレビで観たことがある。その男性の言葉から、人生で本当に大事なものは何かを深く考えさせられた。

仕事をしなければ生きていけないではないかという人はいるだろうが、愛する家族と死別した人は、人生において本当に大事なものがあることを思い知る。成功よりも大事なことをこそ人生の目標にするべきである。それは幸福である。成功しなくても何も成し遂げなくても、幸福でありさえすれば他に何もいらない、たとえ大波がすべてを浚っていっても。

次に、生きているだけで自分に価値があることを知ることである。親は子どもが幼かった頃は生きているだけで嬉しかったはずである。子どもは生きているだけで親に貢献できていた。いい成績を取るというようなことを親が子どもに求めるようになるのは、子どもが大きくなってからのことである。

大人も同じだと考えていけない理由はない。自分が生きていることが他者にとって喜びであり、それだけで他者に貢献しているのである。自分のことをこのように見られるようになれば、他者についての見方も変わる。

第三に、過去も未来も手放し、「今ここ」を生きることである。

これから先の人生に何事も起こらないかのように人生設計をすることはできない。「今ここ」を生きていないので、先の人生が見えるような気がしているだけである。

目次

第一章

他者を理解できないのと同じく、人生のこともすべてわかっているわけではない

——知る「私」

第二章

本当に大事なことを考えるためには
じっくり問題と向き合い、
考え抜かなければならない
――立ち止まる「私」

第三章

過去のつらかった経験をなかったことにはできないが、「今」が変われば過去は変わる

——変化する「私」

第一章

他者を理解できないのと同じく、
人生のこともすべて
わかっているわけではない

――知る「私」

自分の価値を人に決められてなるものか

私の祖父は、私が子どもの頃、「お前は頭がいい子だ」と口癖のようにいっていた。こんなふうにいわれて嬉しくなかったはずはないのだが、この言葉が私の人生に少なからず波紋を呼ぶことになった。

「お前は頭がいい子だ」という時の「頭がいい子」というのは、「属性」である。

属性とは「事物や人の有する特徴・性質」という意味である。「あの花は美しい」という時の「美しい」が属性（花に属している性質）である。人についていえば、容姿や学歴などが属性である。

精神科医のR・D・レインは、自分や世界についての意味づけや解釈について、この「属性化」あるいは「属性付与」(attribution) という言葉を使って説明している（R.D. Laing, *Self and Others*）。

「お前は頭がいい子どもだ」というのは、祖父が私に与えた属性であり、私に「頭がいい子ども」という属性を付与した。それだけなら問題ないのだが、この属性が「その人を限定し、ある特定の境地に置く」とレインはいう。これはどう意味なのか。

同じ花でも美しいと見る人もあれば、そうでないと見る人もあるように、人についての属性付与も人によって異なる。

祖父の属性付与は私自身も同意できたら、嬉しかっただろう。もっとも、私には祖父が私に与えた「頭がいい」という属性の意味がわかっていなかっただろう。

属性付与が問題になるのは、他者が自分についていう属性と自分が自分に与える属性が一致しないので受け入れることができない時である。

属性付与が一致せず、自分がそれを受け入れられないだけならまだしも、さらに大きな問題がある。

一般的にいえば、AがBについてなす属性付与と、Bが自分についてなす属性付与は、一致していることもあれば、一致していないこともある。Bが子どもであれば、大人（親）が子どもに行う属性付与を、多くの場合、子どもは否定することは難しい。そのような場合、属性付与は、事実上、命令に等しい。

祖父が私に「頭がいい子」という属性付与をした時、そのことの意味は「頭のいい子であれ」という命令だった。実際、祖父は「お前は頭がいい子だ」という言葉に続けてこういった。「大きくなったら京大へ行け」と。私はその祖父の期待を満たさなければならないと思った。もっとも、この言葉を聞かされていたのは保育園に通っていた時だったので、通知表をもらうことはなかった私が実際に頭がいいかどうかという判断は、その時点では誰もできなかっただろう。

ところが、小学生になって夏休みに入る終業式の日、初めて通知票をもらった私は、自分が思っていたほど勉強ができないことがわかった。今と違ってはっきりと五段階で評価され、算数が五段階の「３」だったのである。その頃、京大というのがどういう意味かわかっていたとは思わないが、とにかくそこに行けば大人から賞賛されるらしいということだけは理解していた。学校から家までは子どもの足で三十分ほどかかったが、家に帰るまで何度もランドセルから通知票を取り出して、「大変だ、これでは京大に行けない」と思って、ため息をついた。

アドラーは次のようにいっている。

「認められようとする努力が優勢となるや否や、精神生活の中で緊張が高まる」(『性格の心理学』）
人から認められようと思うと緊張してしまう。子どもも同じである。認めてほしい子どもも、愛されたい子どもは属性付与という形でなされる命令に従い、親やまわりの大人の期待を満たすために生きようとする。
「この緊張は、人が力と優越性の目標をはっきりと見据え、その目標に、活動を強めて、近づくように作用する。そのような人生は大きな勝利を期待するようになる」（前掲書）
子どもが一生懸命勉強すること自体は問題ではない。しかし、それが力を得て他の人よりも優れ、「大きな勝利」を期待するためのものになると問題である。勝利というのは、他者との競争に勝つことである。競う他者はまず兄弟姉妹である。さらに、学校に入ると同級生、受験を前にすると他の受験生である。競争には勝たなければならない。よい成績を収めることができれば、親は喜ぶだろうと思う。
アドラーは次のようにいっている。
「今日の家庭における教育が、力の追求、虚栄心の発達を並外れて促進していることは疑いない」（前掲書）
人から認められようとするのは虚栄心である。アドラーは「虚栄心においては、あの上に向かう線が見て取れる」（前掲書）といっている。「あの上に向かう線」は「優越性の追求」である。自分がより優れようと努力をすること自体には問題はなくても、教育が虚栄心の発達を促すとなると問題である。

親の期待通りに優秀であることができれば、本当に小さい子どもにもいばり散らすことが見られるとアドラーはいっている。このような子どもが大人になれば職場でパワハラをするようになるかもしれない。自分は優れた人間であり、かつ力があると思うようになるからである。

問題は「勝利」できない時である。親の期待を満たさない子どもは親から見放される。算数の成績が「3」であることを知り、「大変だ、これでは京大に行けない」と思ったのは、自分が将来成功できないと思ったわけではなく、大人の期待を満たせないことを恐れたのである。

私とは違って、親や大人の事実上の命令である属性付与に反発する子どもの方が精神的に健康的である。しかし、そうでない子どもは親に逆らえず「自分を好まなくなった世界から退却し、孤立した生活を送る傾向をあえて示すことが見られる」（前掲書）とアドラーは指摘する。そのようなことをしなくても、親や大人の期待を満たせないと思った子どもは、自分には価値がないと思うようになる。

しかし、勉強ができるとか、頭がいいというのは人についての一つの属性でしかない。その属性を持っていないからといって、その人の価値がそのことで下がったりはしない。

親は初めから子どもに属性付与したはずはない。子どもが小さい間はどんな親も子どもが生きているだけでありがたいと心から思えただろう。ところが、やがて親はこんな子どもに育ってほしいという理想を抱くようになる。

子どもの言葉の発達が早いようだと思った親は子どもに「頭がいい」という属性付与をする。かわいい子どもには「かわいい」という属性付与をする。実際にそうかもしれないが、親の理想は次第に現実から離れていく。

子どもは親の期待を満たすべく一生懸命勉強するかもしれないが、親が子どもに課する理想のハードルが高くなると、少しくらい成績がよくても親は満足できなくなる。親の理想はいよいよ高くなり、その理想から現実の子どもを引き算して見る。子どもが親の理想から大きく乖離《かいり》すると、子どもを叱り、叱らなくてもイライラすることが増えてくる。

このような現状を変えるためにはどうすればいいか。まず、子どもの方は親の期待を満たすために生きなければならないわけではないのだから、親が怒っても失望しても、放っておけばいい。

親の期待通りにいい成績を取れなくても、そのような子どもがいい成績を取れる子どもよりも価値が劣っていることにはならない。

親の属性付与は多くの場合世間の価値観に従っているのだが、その価値観が正しいとは限らない。有名大学に進学し、有名企業に就職する人が優秀であることの証《あかし》であると疑わない人が多いというだけのことである。

次に、親は子どもへの属性付与をやめなければならない。親の属性付与は親の子どもについての評価でしかない。「お前は頭がいい子だ」という祖父の私についての属性付与は、祖父が私をそのように評価したということにすぎない。評価は人の価値や本質とは関係ないのであり、その評価が誤っていることは多い。親の理想を子どもに当てはめようとしているだけで、現実の子どもを見ていないからである。

属性付与、属性化では人を理解できないということも知っていなければならない。「理解する」はフランス語ではcomprendreという。これは「含む」とか「包摂《ほうせつ》する」という意味だが、人も世界も属性付与によっては包摂できない。必ず包摂できないところがある。人は必ず理解を超えるのである。

それゆえ、親も含め他者が自分について一面的な、あるいは恣意《しい》的な包摂をしようとした時、それに自分を合わせようとする必要はない。他者は自分について属性で評価しようとするが、正しく評価されないとしてもその人が期待する属性を自分が持っていないということにすぎない。

親がこの子のことはまったく理解できないと思ったとしたら、それは正しく子どもを理解しているといえる。

偽りの結びつきから真の結びつきへ

レインは次のような例をあげて属性付与について説明している（R D. Laing, *op.cit.*）。

男の子が、学校から駆け出し、母親に会いに行く。

⑴彼は母親に駆け寄り、しっかり抱きつく。母親は彼を抱き返していう。

「お前はお母さんが好き?」

そして、彼は彼女をもう一度抱きしめる。

⑵彼は学校から駆け出す。母親は彼を抱きしめようと腕を開くが、少し離れて立っている。

「お前はお母さんが好きではないの?」

「うん」

「そう、いいわ、おうちへ帰りましょう」

⑶彼は学校から駆け出す。母親は彼を抱きしめようと腕を開くが、近寄らない。彼女はい

う。

「お前はお母さんが好きではないの?」

「うん」

母親は彼に平手打ちを一発食らわせていう。

「生意気いうんじゃないよ」

(4)彼は学校から駆け出す。母親は彼を抱きしめようと腕を開くが、少し離れて近寄らない。

「お前はお母さんが好きではないの?」

「うん」

「だけど、お母さんはお前がお母さんを好きなんだってことわかっているわ」

そして彼をしっかり抱きしめる。

(1)のように、母親と子どもによる属性付与が一致していれば問題がないのであろうが、実際には一致しないケースが多い。母親は子どもは自分を好きだと思っていても、子どもがそうとは限らない。

「おまえは私が好きではないの?」と問う母親に子どもが「うん」と答え、「そう、いいわ」と受け入れることができる(2)のような親は少ないかもしれない。しかし、親子だから親がこのように受け止めることが異例のように見えるが、大人の対人関係においては、自分の思いを受け入れてもらえず諦《あきら》めることは珍しくない。

親のことが好きではないという子どもに母親が「生意気いうんじゃないよ」と平手打ちを食わせるのが(3)のケースである。これは端から見ていてひどいようにうつるかもしれないが、(2)の母親の「曖昧《あいまい》な」態度よりは、意志がはっきり表明されている点、好ましいともいえる。(2)の母親は、子どもに好きなようにさせるのか、成り行きに任せるのか、それとも、罰するのか、無関心を装うのか、はっきりしない。子どもは、母親によって自分がどんな立場に置かれているか、即《すなわ》ち、どんな属性付与がされているかを知るにはなお時間がかかる。ともあれ(2)の母親も、子どもを平手打ちした(3)の母親も、少年を母親とは分離した存在として扱っており、母親の対応は異なるが、少年は、自分が母親に影響を及ぼしうることを知ることになる。

興味深いのは(4)のケースである。レインは次のように説明する。

「(4)においては、母親は、彼が自分はこう感じているということに対して聞く耳を持たず、子ども自身の証言を無効にする感情を子どもに帰することによって巻き返す。このような型の属性付与は、当の犠牲者が現実だと経験する感情を非現実だとするのである。このような仕方では、真の背離《はいり》が闇に廃され、偽りの結びつきがつくり出される」

　この親は、子どもが自分を好きではないという言葉を自分にとって都合のいいように解釈し、子どもが自分から離れようとしている事実を無効にしようとしているのである。

　たとえ事実として子どもが親から離れようとしていなくても、親と子どもは本質的に分離した存在である。それなのに、子どもに属性付与を行うことによって「偽りの結びつき」を作り出すことで、両者の間の隔たりをなくそうとしているのである。
　(4)の母親は、子どもの母親が好きではないという言葉を無効にしようとしているのである。「お前は本当は私が好きだ」といわれた子どもは、母親の観念ではあっても他者にはなりえない。母親から分離した存在ではないという意味である。母親にしてみれば、母親の世界には他者が存在しない。あるいは、架空の他者しか存在しない世界を作り出しているわけである。
　この場合「あなたが私を好きなことは知っている」という母親による属性付与は、事実上、「私を好きになりなさい」という命令に等しい。自分を子どもが好きではないという現実を直視できない母親は、このような属性付与をしなければ耐えられない。それは自分の誇りを傷つけることであり、自分の優越感を揺るがすからである。しかし、当然のことながら、子どもは「もの」ではなく、自由意志を持っているわけだから、親がどう解釈しようが、子どもを支配することはできない。

さらに、理解するというフランス語であるcomprendreについて先に説明したように、属性付与が無効であるのは、人や世界は「理解」を超えているからである。先の例でいえば、子どもは親を必ず好きであるとは限らない。それなのに、親は自分が子どもに好かれていないという事実を見ても、それを自分に都合のよいように属性化してしまう。

しかし、自分の思い通りにならないものに属性付与をしてみても、現実とはかけ離れていることが多い。子どもに好かれていない母親が、「本当はあなたは私のことを好きなことを知っている」といっても、子どもは困惑するだけである。そんなふうにいわれた子どもも親が自分のことをすべてわかっているとは思っていない。子どもは、親が自分のすべてを包摂するようなことがあるとは考えていない。いわれた子どもは驚くかあきれ、そんなことはありえないと抵抗するに違いない。しかし、甘やかされた子どもであれば、あんなふうに反発したものの、本当は親がいうように自分は親が好きなのだと思ってしまうかもしれない。

子どもは親からの属性付与に抵抗するべきである。属性付与は事実上の命令なのだから、その命令に屈してはいけない。子どもは親の期待を満たすために生きているのではないからである。

これまで親子関係を例に考えたが、以上のことはどんな対人関係にも当てはまる。人と人の結びつき、秩序、和というようなものは、上から属性付与されるべきことではない。同調圧力が強く働き、異論を唱えにくい共同体に必要なのは、レインの言葉を使うならば、「真の背離」であって「偽りの結びつき」ではない。

三木清は『語られざる哲学』の中で、イエスの言葉を引いている。

「われ地に平和を投ぜんために来れりと思うな、平和にあらず、反って剣を投ぜんために来れり。それ我が来れるは人をその父より、娘をその母より、嫁をその姑嫜《しゅうとめ》より分たんためなり」

これは『マタイによる福音書』から引かれたものである。「平和」ではなく「剣」を投じるため、親子、嫁姑を分かつため、この地にやってきたとは何と激しい言葉か。

子どもが何の疑問もなく親に従っていれば、表面的には何の問題もないよい親子に見えるが、親子であっても、子どもが親から、親が子どもからどう思われるかを気にして、いうべきことがあってもいえなければ、表面的にはよい関係が築かれるかもしれないが、これは真の結びつきとはいえない。

反対に、自分の考えを率直に、親の気持ちを忖度《そんたく》せずにいえば、関係がギクシャクするかもしれない。それがイエスがいう、「剣を投じる」ことであり、親と子どもとの結びつきを「分かつ」ということの意味である。

表面的には仲がよくても、結びつきが真の結びつきになるためには、このような過程を経なければならない。

ただし、必ず、関係に剣が投ぜられなければならないわけではない。子どもが親の愛情という名に隠された支配に気づくことは必要であるが、それは親子が激しくぶつかり合うというようなことが必ず起こるという意味ではない。

息子が小学生だった時、祖父の家に泊まりに行ったことがあった。出かける時に息子が呟《つぶや》いた。

「こんなふうにして僕はお母さんから離れていくんだ」

子どもが親から離れていくことを親がただ受け入れれば、剣は必要ではない。

近くもなく遠くもなく

哲学者の森有正の親しい友人だった作家の辻邦生が、森が七年間住んでいたアパルトマンから引っ越した時の様子を書いている（『森有正』）。

森は引っ越しの間中、窓際にすわってほとんど動かなかった。

「今どの辺を飛んでいるかな、とパリに来る娘さんのことしか頭にない様子だった」（『海そして変容　パリの手記Ⅰ』）。

パリで一人で暮らす森の元へ娘がやってくると、森の生活に「新しい面が、あるいは次元」が加わり、「極度に混乱していた生活」が安定し始めた（『流れのほとりにて』）。

引っ越しの日の森の様子から知られるように、森は娘を溺愛しているように見えるのだが、その娘について次のようにいっている。

「娘が余り僕を愛しすぎぬよう気をつけなければならない。かの女は自分で自分の道を見出さなければならない。僕の内面は一切かの女に影響をあたえてはならない」（『流れのほとりにて』）

自分と娘の絆《きずな》は既にあまりに強く、「いつも静かに存在している父」、ただそれだけで、その框《かまち》を超えないよう全力をあげて努力しなければならないと森はいう。

「僕は死に直面しても娘などに傍へ来てもらいたくない人間にならなければならない。娘がどこかに存在している、ということだけが僕のよろこびであり、慰めであるような人間にならなければならぬ」

「娘が余り僕を愛しすぎぬよう」といっているが、その実、自分が娘を愛しすぎないよう戒《いまし》めているのである。

親が子どもを愛していけないわけではない。

しかし、子どもはやがて親から自立しなければならない。親も子どもから自立しなければならない。森が「自分で自分の道を見出さなければならない」といっているのはその通りである。しかし、愛しすぎなければいいのではなく、愛し方が問題である。

多くの親は「いつも静かに存在している」ことに満足できず、頼まれもしないのに、子どもの課題に手出し、口出ししてしまう。そうすることが子どものためであると固く信じている。「お前のためにいっているのだ」は親が子どもに説教する時の常套句である。子どもがその親の言葉に何の疑問も感じず、親のいうことを聞いていれば、その親子は仲がいいように見える。

しかし、いつまでも蜜月は続かない。森はいう。

「娘のよいお友達になる？　考えただけでぞっとする」

親がこんなふうに思うことは少ないかもしれない。子どもから慕われていると思っている親は嬉しいだろう。

そんな子どもが親に反抗し、親に背くことがあった時、親はどう思うだろうか。

三木清がこんなことを書いている。

「私は剛情な子供が我儘を押し通そうとしたとき、賢しい母親に妨げられそれがよくないことであることを諭されて自分で会得したとき、一時に母親の膝に泣き挫《くず》れる、その子供の無邪気なそして素直な心をもって大地に涙しながら私の高ぶり反く心を挫さなければならない。そのとき私の片意地はあたかも地平線に群る入道雲が夕立雨に崩れてゆくように崩れてゆくであろう」（『語られざる哲学』）

ここで三木は自分の心持ちについて書いているのだが、喩《たと》えにあげている我儘《わがまま》を押し通そうとする子どもの描写は親がこうであればいいと三木が、そして多くの親が願う理想でしかない。

子どもの我儘を是認しているのではない。自分の思いを押し通すことはできないことを自分で会得できなければならないし、会得するだろう。それがよくないことであることを親に諭され母親の膝に泣き崩れるような子どもがいるだろうか。

多くの場合、親子の関係は近すぎる。子どもが親の愛情の名に隠された支配に気づき、親の支配から子どもが抜け出すことで親子の関係のあり方は変わる。

どうすれば親と子どもの距離を適切なものにできるだろうか。

まず、子どもが自分の責任でしなければならないことに親が踏み込まないことである。親からすれば、知識も経験も足りない子どもは頼りなく見える。大きな失敗をすることもあるだろう。それでも、あえて子どもたちを見守る勇気を親が持たなければ、子どもは自分の人生に責任を取らなくなる。

親に従っている限り、失敗した時の責任を親に転嫁できることを知っている子どもは、親の支配に気づいていても、親から自立しようとはしない。

子どもがつらそうにしているからといって、「つらそうだね」と不用意に声をかけると、子どもは苦境を自分の力では乗り切れないと思うようになるかもしれない。だからといって力になっていけないわけではない。「何かできることがあったらいって」というような問いかけはできる。それに対して、子どもの方から申し出があればその中でできることをすればいい。

このようなことを書くのは、自分の課題なのに人任せにする人もいる一方で、人に援助を申し出ることができない人がいるからである。誰もがいつでも自力でできるはずはない。必要な時には人に援助を求めてもいいのであり、そうするべき時があるのである。

次に、親子という仮面を外すことである。仮面はラテン語では「ペルソナ」という。英語のパーソン（人）の語源である。親と子どものそれぞれが親と子どもという仮面を外し人間として関わるようになれば、親は「あなたのためを思って」とはいわなくなり、子どももそれが親の愛とは思わなくなるだろう。

個性について

「個性の奥深い殿堂に到る道はテーバイの町の門の数のように多い」（三木清『人生論ノート』）

属性は一般的なものでしかない。たとえ、他者が期待している属性を自分が持っていないとしても、自分に価値がないわけではない。就職試験に次々落ちたとしても、自分を落とした会社が求める属性を自分が持っていなかったということにすぎない。

その属性というのは、例えば英語を自在に話せるというような一般的なものなので、試験で高得点を取ったという実績があれば、採用されるかもしれないが、価値があるとされたのは他ならぬ自分ではない。自分でなくてもいいのだ。

就職試験だけではない。他者から認められたいと思う人も、他者がよしとする属性に自分を合わせようとする。高学歴で高収入な人と結婚したい人は、相手の本質ではなく属性を選ぼうとしているのである。

属性は、一般的なものであり、他ならぬその人とは関係がない。属性で採用しようとする会社は「人」を選ぶのではない。「人材」、「パーソン」（ペルソナ・仮面）を選ぶのである。つまり、取り替え可能な「もの」を選ぶのと変わりはない。リクルートスーツに身を固めて就活に臨む若者たちは、私は私であって、他の誰でもない。他の人と比べようがない「個性」をこそ見てほしいと思わないのだろうか。

属性によってしか人を判断し理解しようとしない人は、包摂という意味での理解（comprendre）では見落としているところがあるのを知らない。

それでは、どうすれば個性を知ることができるだろうか。その人が持つあらゆる属性を列挙しなければならないが、無論、そのようなことはできない。あるいは、AはAであるという同一命題を超えることはできず、「あなたはあなたである」としかいえなくなる。しかしそうなると、ある人について個性を記述することはもはや不可能になってしまう。

万物の流転を説いたクラテュロスは、何も語らず、ただ指を動かした。言葉では説明できないので、何かを黙って指さしたのだ。

三木清は、

「かようにして個性と個性の理解は、語られる点に於いてではなく語られざる点に於いて深き根底を見出すが如き理解である」

という（『語られざる哲学』）。

しかし、語れないのだから語らないということは、属性付与よりも、人やものについての理解をいっそう誤った方へと導きはしないだろうか。

『白痴』のムイシュキン公爵は、ナスターシャの写真を見ただけで、「この顔には実に多くの苦悩がある」（ドストエフスキー『白痴』）という。ムイシュキンが見ている「幻」かもしれないのに、その言葉の調子は断定的である。また、初めて会ったナスターシャが、突如として、彼女に思いを寄せる男に傲慢《ごうまん》な態度を取って高笑いをする行動をいさめてムイシュキンはいう。

「いや、あなたも恥ずかしくないんですか！　前からそんな方だったのですか。いいえ、そんなはずはありません！」

一体、「そんなはずはない」という言葉では説明できないので、何かを黙って指さすしかないことになってしまう。

後者の場合は、ムイシュキンはナスターシャの行動を観察した結果、そこから推論して、ナスターシャの人格について判断している。しかし、前者の場合は、写真を見るまでにムイシュキンが接した人との経験からの類推で、即ち、よく似た人を想起し、その人の人格に似ていると想像したにすぎない。

森有正が、初めて女性に郷愁に似た思いと憧《あこが》れ、そして、かすかな欲望を感じた頃のことを書いている（『バビロンの流れのほとりにて』）。実際には、森は憧れた女性とは一言も言葉を交わしていないのである。何ら言葉を交わすことなく、夏が終わり、彼女は去ってしまう。そんな彼女なのに、森は遠くはるかに行く自分の思いをわかってくれるような気がしたという。そして、この恋情は、「全く主観的に、対象との直接の接触なしに、一つの理想像を築いてしまった」。それは相手に対する何の顧慮も、打算もなしに、「愛の一つの原型」ができてしまったことを意味する。森はわかっているのだ。「それはもうかの女ではなく、僕だけの原型なのだ」。ある意味で、森は彼女と言葉を交わさなくてよかったのかもしれない。彼女は永遠に森の中で、「原型」として生き続けることができたのだから。

しかし、人との関わりはこんなふうには終わらない。実際に「この人」と言葉を交わす時がやってくる。その時、その人が自分がそれまで想像していたのとはまったく違うことに気づく。それまで他者について持っていた印象をその人に被《かぶ》せていただけだったことに気づくのである。これまで使ってきた言葉でいえば、属性化では包摂できないその人の個性に触れるのである。

しかし、言葉を二言、三言交わすだけで人を知ることになるかといえば、それも疑わしい。それどころか、長く一緒にいる人とは言葉を多く交わしてきたはずであるが、では本当にその人のことを知っているかといえば、そうとはいえないだろう。長く一緒にいるのに、その人のことをあまりよく知らない、あるいは長く一緒に近くにいるからこそ見えないということもあるだろう。

このように言葉を離れて誰かについてイメージするだけでは、相手を正しく知ることはできない。ただ、自分がその人について持つイメージを勝手に相手に当てはめているにすぎない。無論、そのようなイメージは最初から間違っているといわなければならない。

それでは、なぜこのようなことが起きるかといえば、他者についてイメージする、他者を属性化する際に、それが正しいかどうかが検証されないからである。そんな手続きを経ずとも、他者を正しく理解できると思い込んでいるからである。多くの場合、他者を理解できないかもしれないという疑いすら持っていない。

属性化それ自体に問題があるわけではない。人についてであれ、何についてであれ、A is Fという属性化をすることなく知ることはできない。その属性（F）がAについて適切なものかが問題で、絶えずその正しさについて検証しなければならない。

それゆえ、ただ形式的に言葉が交わされるだけでは、人を知ることはできない。どれだけ話をしても、相手についての思い込みから自由にならず、自分の包摂を超える面を認めることができなければ、他者は自分の観念以上のものではなく、他者の個性を知ることはできない。

他者を理解するために

親は子どもを支配しようとする。実際には、そんなことができないことは幼い子どもと少しでも一緒に過ごせばわかる。子どもを支配できないのであれば、少なくとも、観念的に支配するしかないと思った親は、子どもに自分にとって有利な属性付与をする。

しかし、親子であっても、他者は必ず自分の理解を超えているといっていい。他者を理解するというのは、他者は自分の理解を超えているということを知ることであるといえる。少なくとも、このことを認めることが、他者を知ることの出発点である。

親にとって、子どもは、自分の理解を超えた存在、「他者」である。ところが、実際には、子どもを他者とは見ていない親は多い。子どものことは親である自分が一番よく知っているという。

「お前は本当は私が好きだ」といわれた子どもは、母親から分離した存在ではなく、母親の「観念」でしかない。このような属性付与する母親の世界に他者は存在しない。ある時、母親と話していて、この人が語る「私」は自分のことではないことに気づいた。実は自分ではなく、子どものことについて、「私」を主語として語っていたのである。

このような親にとって、子どもは自分の理解を超えないどころか、一体化している。子どもの考えていることがわからないことなど思いもよらないのだろう。なぜなら、子どもは他者ではなく自分自身なのだから。

子どもの視点からいえば、母親が子どもを平手で打とうという気にさせるような反抗的な態度を取るという形であっても、子どもは親にとって他者であることを教えなければならない。平手で子どもを打ったところで子どもが親の言いなりになることはないが、親は自分の言いなりにならない子どもを見て、子どもが自分の理解を超えた他者であることを認めないわけにいかない。他者の他者として生きること、他者にとって意味のある存在になること、他者に影響を与えうる存在になるということで、子どもは「私」を確立できるのである。

それなのに、子どもを他者と認めることができない親は、子どもが自分から離れていこうとしている事実を受け入れることができず、子どもは本当は自分を好きであるはずだという属性化を行い、子どもを自分の観念のうちで生かそうとする。

子どもが親の属性化を受け入れるとしたら、そのことは子どもが親から分離した存在としては生きることを断念したということであり、親と子どもの間に偽りの結びつきが生じることになる。

しかし、親がどう思おうと、子どもはもはや親の元に留まっていてはいけない。子どもが他者〔親〕の他者として生き始めることは、子どもにとって望ましい。親にとっても、子どもを他者として認めることで子どもから自立できるのだから、親の「私」が確立されるという意味で望ましいことである。

子どもが親から「私はあなたの親だから子どもであるあなたのことを親である私が一番よく知っている」といわれたら、この親は自分のことをよく理解してくれているのだと、親の言葉を聞いて嬉しいと思うだろうか。

中には、そのことに何の疑問も感じていなかったり、むしろ、親が子どもに期待しているイメージの方に自分を合わせようとする子どもがいる。このような場合、親の呪縛から逃れられるように子どもを援助する必要がある。

カウンセリングでは「そんなことをいう親はあなたのことを理解していないのだ」と話

さなければならない若い人たちに多く接してきた。

　親に反発をしたり、反抗することを勧めているわけではない。しかし、親であっても、親のいうことに何もかも同意する必要はなく、時には反発してもいいということを教えなければならない。なぜなら、親の子どもについての見方、属性化は唯一絶対ではないので、子どもが親の自分についてのイメージに合わせ、親の子どもについての属性化を子どもが受け入れる必要はないからである。

　このように考えると、子どもが親のいうことを少しも聞かないというのは、むしろ望ましいことである。

　アドラーが引く伝説上の盗賊プロクルステスは、捕らえてきた旅人を寝台に寝かせる。そして、もしも身長が寝台よりも短ければ、頭と足を引っ張って引き延ばし、長ければ寝台からはみ出た足を切り落とした（『子どもの教育』）。

　この話に即していえば、理解するというのは、自分の寝台に合うように人を伸ばしたり切ったりすることである。たしかに、理解（寝台の長さ）に「合う」かもしれないが、このようなことは対象を自分の都合のいいように合わせただけであって、理解したことにはならない。理解するというのは、寝台の長さに対象を合わせることではない。そうではなく、対象をあるがままに認めなければならない。

属性化から脱却するためには、先に見たように言葉を交わす必要がある。属性では一般的な人についてしか知ることはできない。言葉を交わせば、目の前にいる人は他ならぬこの人、個人になる。

また、共感が必要である。山本七平が、冬の寒い夜にかわいそうと思って、ひよこに湯を飲ませて殺してしまった人の話を引いている（『空気の研究』）。山本は、この例を「感情移入」として説明し、それを「対象者と自己との、また第三者との区別がなくなってしまった状態」と説明している。

アドラーは、窓を拭く人が足を踏み外しそうになったら、それを見ている自分もまた同じように感じることだろうといっている。人の話を聞く時には、自分を相手の立場に置くのでなければ理解することはできない。

また、多くの聴衆を前にして演説している人が、話の途中で突然先に進めなくなって、つかえてしまった時、それを聴いている人は、自分がこのような恥ずかしい目にあったかのように感じるだろうといっている（『教育困難な子どもたち』）。

このような時、感情移入をした人と自分との区別はなくなっている。これは、人の話を理解するためには必要なことではある。しかし、アドラーがこれらの話を引くのは、共感や同一視を説明するためである。即ち、自分の見方で他者を見れば必ず間違うからであり、自分の見方を手放すということを推奨しているわけである。自分の視点で見ている限り、他者を理解することはできない。

しかし、山本があげる例では、人を理解するために相手の立場に身を置くというのではなく、自分の見方を相手に重ねてしまっている。つまり、自分がこのように感じるのだから、相手もきっと同じように感じているに違いないと思うのである。そのように思い込む人は、自分の感じ方、考え方以外のものを認めようとしない。あるいは、そもそもそんなものがあるとは夢にも思わないのだろう。

なぜ生きることは苦しいのか

作家のキム・ヨンスは「私は、他者を理解することは可能だということに懐疑的だ」といっている（『세계의 끝 여자친구』 작가의 말）。

人の気持ちがわかると思った時、大抵、誤解しているといっていいくらいだ。子どものことは親である私が一番よくわかっているという親は多い。しかし、もしも親が本当に自分の子どものことをわかっていたら、子どもは問題を起こさなかっただろうと思うことがよくあった。この子とは生まれてからずっと一緒に生きてきたが、ひょっとしたらこの子のことを何一つわかっていないのかもしれないと思う親の方が、子どもを理解できているのかもしれない。

人のことはそもそも理解できないのかもしれない。しかし、だからといって決してわかり合えないと思うこともない。

キム・ヨンスはこういっている。
「私が希望を感じるのは、人間のこのような限界を見つける時である」（前掲書）
限界があっても、希望がある。限界があることにすら気がついていない時には、相手を深く知ろうと努力しない。相手を完全に理解することはできないという限界があることを知れば相手を知ることを断念するよりは、いっそう相手を知りたいと思うだろう。
「私たちは努力をしない限り、互いを理解することはできない。このような世界に愛というものは存在している」（前掲書）
相手を理解したい、理解しようとするのは愛だ。ただ一緒にいさえすれば、愛の感情が二人の間に芽生えるのではない。互いを理解する努力が必要である。これは容易なことではないが、相手をよりよく知ろうとする努力は喜びとしての努力である。
「そして、他者のために努力するというこの行為自体が、私たちの人生を生きるに値《あたい》するものにする」（前掲書）
他者のために何かをする努力ではなく、他者を理解しようとする努力という意味である。私だけが生きているのではない。私と共生している他者を理解する努力をするという行為が人生を生きるに値するものにするのである。

さらにいえば、他者を理解できなくてもいい。「理解する」という意味のフランス語であるcomprendreだが、他者を包摂できなければ、自分が包摂できず理解できない人は愛せないという人は、その人を愛したいのではなく、支配したいだけである。自分が理解できないところも含めて相手をそのまま受け入れるということが人を愛することである。

自分と同じようなタイプの人と恋愛をしたいという人がいる。そのような人であれば、相手が何を考え、どう感じているかが手に取るようにわかり、考え方や感じ方が似通っていれば、相手を理解することは容易であり、ぶつかることも少ないだろうと考えるわけである。

しかし、むしろ自分とはまったく違う人と共に生きれば、この人はこんなふうに考えるのかと驚くこともあるだろうが、自分の人生が広く豊かになると考えることもできる。たしかに言葉や生まれ育った文化が異なれば、自分にとって明々白々なことが相手にはそうではないために、ぶつかることがある。しかし、そのようなぶつかりを回避するためにどちらかが相手に合わさなければならないわけではない。考えや感じ方が違うことを理解する、少なくとも理解しようと努めることで十分である。

言葉も文化背景もまったく異なる高齢の男女が結婚した。言葉が通じなかったけれども、そのことが二人が仲良く生きることの妨げにはならなかった。大きな問題が二人の間に起きた時には、二人の言葉が理解できる友人が間に入って仲裁した。

キム・ヨンスがいっていることは、他者についてだけではない。人生についてもそれが何なのかわからない。他者を理解できないのと同じく、この人生のこともすべてがわかっているわけではない。

なぜ生きることは苦しいのか。死ぬとわかっているのになぜ生きなければならないのか。このような問いには容易に答えが出ない。それでも知ろうとすることに意味がある。人生がどういうものか知る努力をする前に、人生はこんなものだと決めてかからないのがいい。

キム・ヨンスはいう。

「だから、簡単に慰めない代わりに簡単に絶望しないこと、それが核心である」（前掲書）

まわりの人に助けられる

老いてから家族に迷惑をかけたくないので寝たきりにはなりたくないという人は多い。日本では認められていないが、安楽死を願う人もいる。信仰上の理由からでも、絶え間ない激痛があるからでもなく、迷惑をかけたくないのが安楽死を願う理由であるのは痛ましい。

迷惑という言葉は適切ではない。人は生まれてから死ぬまで誰からの助けも受けないで生きていくことはできない。人生のある時期は人を助ける側に回れるが、ずっとそうではない。若い人でも病気になれば人の援助が必要である。

自分でできること、しなければならないことまで人に頼って自分ではしないのは問題だが、人から助けてもらうことは心地よい。誰かが立ち上がろうとする時にさっと手を差し伸べたからといって、その人の自立心を奪うことにはならない。手を差し伸べられた人は好意に感謝するが、二度と一人で立ち上がろうとしなくなるわけではない。

　冠動脈のバイパス手術を受けた後、私は長く胸にバンドをしなければならなかった。退院したとはいえひどく弱っていたので、電車の中で立っているのはつらかった。それなのに、代わってほしいといったら怪訝《けげん》そうに見られるのではないかと思って、席を代わってほしいとはいえなかった。

　しかし、誰かから席を代わってほしいといわれたら、理由を聞いたりしないで代わるだろう。元気そうに見えるのに、なぜそんなことを言い出すのかなどと思うはずはない。

　席を代わってほしいといったら怪訝そうに見られるのではないかと思うのは、人を信頼できていないからである。席を譲った人はそうすることができたことを喜びに思うだろう。

　手術後、ＩＣＵ（救急救命室）で食事をすることになった時、自分で食べることができなかったので、看護師さんに食べさせてもらった。小さな頃のことはほとんど何も覚えていないが、きっとこんなふうに毎食親に食べさせてもらったのだろうと思った。

　食事の介助をしてくれたこの看護師さんに私は「ありがとう」といったけれども、もしも私があの時意識がなく、私の世話をしても私がそれに対して何もいえなかったとしても、この看護師さんは働く意欲を失うことはなかっただろう。

看護学生に哲学や心理学を教えていた時、なぜ看護師になりたいと思ったのかたずねたことがあった。仕事は他にいくらでもあるのに、なぜ生命を預かる仕事をしたいと思ったのか知りたかったのである。

そうすると、「退院される時に患者様やご家族に『ありがとう』といってほしいから」という答えが返ってきた。そのように思って看護師になった人が病院に就職しICUや手術室に配属が決まった時に何が起こるか。患者の多くは意識がないので、「ありがとう」とはいってもらえないのだ。だから、仕事にやりがいを感じられないという相談をよく受けた。

父が認知症になってから我が家を訪問する看護師さんからも、家族には感謝されても、患者本人に喜んでもらえない、それどころか、ひどい言葉を投げかけられることもあるという話を聞いたことがある。それでも、私は制服を脱げば看護師ではなくなるから耐えられるという人がいた。ひどいことをいわれても仕事だと割り切れるという意味である。それでは、介護をしている家族はどうなるのだろうと思った。家族に制服はないのである。今日の介護は何時までという区切りはない。

話は逸《そ》れるが、家族は不断に介護をしていても、親のことをまったく考えない時間があってもいいと思う。介護を代わってもらって短い時間でも家を離れて喫茶店でコーヒーを飲んだことがあった。介護がつらくなくても、一人でいられる時間は必要である。

カウンセリングをしていた時、相談にこられた人に「ありがとう」といわれないように気をつけていた。「先生のおかげです」といわれては駄目だということである。カウンセラーは来談者が自力で課題を解決する援助をするだけである。カウンセリングが終わったら、カウンセリングを受けたことすら忘れてほしい。カウンセリングも看護師と同様、感謝してほしいと思う人には向いていないのである。

バイパス手術を受けた時、手術室に入ってほどなく医師の「動脈ライン確保」という声を聞いた途端、意識が途切れた。だから、手術のことはまったく覚えていない。次に気がついたのは、手術中気管に挿入されていた管が抜かれた時だった。

私はできるものなら「ありがとう」といいたかったがいえなかったのである。手術中に多くの人のお世話になったので、後日、歩けるようになってから手術室を訪ねて感謝の気持ちを伝えた。患者は言葉として「ありがとう」といえなくても、感謝しているはずである。

だから、感謝してもらえなくても、自分がしたことで貢献感を持ちたい。介護も子育ても、子どもが「ありがとう」といってもらえないことはある。それでは、介護や子育てをする気にならないかというとそうではないだろう。大変なことは多いが、自分が子どもに役立てていると思えれば、感謝してもらおうとは思わない。

話を戻すと、高齢や病気のために身体を自由に動かせなくなった時に、人に迷惑ばかりかけていると思わなくていいのである。当然と思ってはいけないが、世話をしてもらったら「ありがとう」といえばいい。

身体が弱っていても、そのことで自分が不幸だとは思わず、日々生きる喜びにあふれている親であれば、子どもも一緒に暮らしたいと思うだろうし、必要があれば介護を厭《いと》うことはないだろう。しかし、自分の不幸をかこってばかりいれば、そのような人と一緒に暮らしたいとは思わないだろう。

病気になると知らずして自分の不幸をまわりの人に訴え、そうすることで自分に注目させようとする人がいる。

回復しない病気もあるが、多くの病気はよくなる。病気であることで他者の注目を得られると思っている人は、このことが耐えられない。よくなれば、病気が重かった時ほど注目されなくなるからである。それが回復するということなのに、注目されなくなることを喜べない。

　病気の人を放っておく人はいない。そうは思えない人が、つらそうにする。アドラーは「症状を増幅する」という言い方をする。自分が望むような注目を得られなければ、医学的には回復の一途を辿《たど》っているのにぶり返すこともあるとアドラーはいっている。

　病気になると身体だけではなく心も弱る。家族から優しく接してもらうと、そのことが本当にありがたく思える。いつか私の孫が足の痛みを訴えた時、「どうしてほしい」とたずねたら、少しはにかむように「心配してほしい」と答えたことがあった。

　アドラーは病気の時でも自立心を失わせてはいけないといっている。病気の時は依存的になるからである。アドラーが報告している少年は、問題行動を繰り返し、父親が施設に入れるしかないと思ったほどだったのに、病気になって入院した時、親や他の家族が見舞いにきてくれるのを見て、自分が愛されていたことを知った。退院後は誰もが驚くいい子どもになった。

　家族は病気の子どもや親を懸命に看病し介護するが、それは子どもが病気だからではない。子どもが子どもであり、親が親だからだ。

孤独は街にある

三木清は、孤独そのものと孤独の条件とを区別して、次のようにいっている。
「孤独が恐しいのは、孤独そのもののためでなく、むしろ孤独の条件によってである。恰《あたか》も、死が恐しいのは、死そのもののためではなく、むしろ死の条件によってであるのと同じである」(『人生論ノート』)
また、三木は次のようにもいっている。
「孤独というのは独居のことではない。独居は孤独の一つの条件に過ぎず、しかもその外的な条件である」(前掲書)
一人でいるからといって、独居しているからといって、誰もが必ずいつでも孤独を感じるわけではない。一人でいることは、誰にとっても孤独を恐れる条件ではないのである。
それどころか、三木はむしろ大勢の人間の「間」にこそ孤独はあるといっている。

「孤独は山になく、街にある。一人の人間にあるのでなく、大勢の人間の『間』にあるのである」（前掲書）

「孤独は山になく街にある」という時の「山」というのは一人でいる状態、「街」というのは人と人との間で生きている状態のことを指している。

大勢の人間の中で孤独を感じることなどないと思う人もいるかもしれないが、「孤独は山になく街にある」という三木の言葉に共感できる人も多いのではないだろうか。

なぜ孤独は大勢の人の間にあるのか。次のことを考えなければならない。

まず、もしも人がこの世界にただ一人で生きているのであれば、孤独を感じることもないということである。他者が存在し、その他者と結びついていることが人の基本的なあり方なので、人との結びつきから外れると孤独を感じるのである。

次に、他者と結びついていることが人の基本的なあり方だと書いたが、どのように人と結びついているかが、人が孤独を感じるか、感じないかに関係してくるということである。

常は皆の注目の中心にいたい人がいる。学校に行かなかったり、引きこもっていたりしていると、親を始めとするまわりの大人から早く学校に行けとか働けというようなことをいわれる。そんなことをうるさくいわれたら嬉しくはないだろうが、そういわれている限り、家庭という共同体においてその中心にいることができる。

ところが、外に出るとどうなるか。学校や会社に行くことは当然のことなので、誰もそのことをほめたりしない。病気で弱っている時は心配してもらえるが、回復すると注目されなくなるのと同じである。

街の中に出ていくと、自分のことを知っている人は誰もいないので、自分がたくさんの人の中の一人でしかないことを知ることになる。外では家の中にいる時とは違って、格別の注目を得ることはできない。その時、孤独を感じるのである。

そのような人は、一人で部屋の中にいる時も孤独だが、大勢の中にいるといっそう孤独を感じるので、一人でいることを選ぶ。三木が「ひとは孤独を逃れるために独居しさえするのである」というのはこういう意味である。しかし、そのような人が大勢の人の中での孤独を逃れ一人でいれば孤独ではないかといえばそうではないだろう。

それでは、どうすれば孤独を感じないですむのか。一人でいる時、いつも必ず孤独であるわけではないことに気づかなければならない。一人でいると寛《くつろ》げる時があるはずである。しかし、一人でいると寛げる人が孤独感に襲われる。一人でいる時間に寛げることと、孤独感に襲われることとの違いはどこから生じるか考えてみなければならない。

一人でいることも、大勢の人の間にいることも、「外的な条件」でしかない。孤独を感じるかどうかは何かの条件によるのではない。一人であっても、他者と一緒であっても、孤独を感じる人もあればそうでない人もいる。人が置かれている状況がこうであれば必ず孤独を感じるのではないということである。

自分が孤独であると感じるか否かは、外的条件に関係なく、他者との結びつきをどう捉えるかによる。孤独感から逃れたいがためにいつも誰かと一緒にいなければならないと思う人は、たしかに他者とのつながりを求めてはいるのだが、他者を孤独から逃れるために必要な人だと見ているので、自分の期待を満たしてくれない友人に満足できなくなる。

自分の必要のために友人を利用しようとするような人のまわりには誰もいなくなる。孤独から逃れようとして、かえって孤独になるのである。

他方、孤独を感じないために誰かと一緒にいる必要などないと思って、一人でいることを何とも思わない人は、孤独を感じることはない。

孤独を感じるのは生きている時だけではない。死ぬ時に誰にも看《み》取られることなく一人寂しく死んでいきたくない、孤独死は怖いと思う人がいる。そのような人は、死そのものを恐れているのではなく、一人で死ぬという死の条件を恐れているのである。たとえ死ぬ時に一人ではなく家族に看取られて死ぬという幸運に恵まれたとしても、人は皆一人で死ななければならない。その意味で死は絶対の孤独である。

石橋秀野に次のような俳句がある。

蟬時雨子は担送車に追ひつけず

石橋は肺を患《わずら》って三十八歳で亡くなった。この時、娘は六歳だった。娘は母親が担送車（ストレッチャー）で救急車まで運ばれていくのを泣きながら追いすがった。娘の泣き声は蟬時雨の声にかき消されて聞こえなくなった。秀野が句帳に青鉛筆で走り書きしたこの句を最後に句帳は「永遠の空白」になった（山本安美子『石橋秀野の一〇〇句を読む』）。

キム・ヨンスは句中の「蟬時雨《せみしぐれ》」に「死の気配」を読む。

「蟬時雨を思い浮かべた時、彼女にはもう死ぬだろうという予感があったであろう。子どもの泣き叫ぶ声までも飲み込んでしまうようなその蟬の声が消えれば彼女はこの世を去ることになるはずだった。一人だけで生きていく世であれば、運命が無理に今、世を去れといっても惜しくはないだろう。しかし、私たちには皆残される人がいるではないか。残さ

れた人の記憶の中でそれが反復される限り、悲しみは長く持続するだろう。『担送車に追ひつけず』という文章はそのように長い間持続する悲しみの一つの姿である。時間はそのように持続する」（『청춘의 문장들』）

秀野の娘である山本安美子はいう。

「父子のいる現世と秀野の行く冥界《めいかい》との距離は未来永劫縮まることはない」（山本安美子、前掲書）

心筋梗塞で倒れ救急車で病院に搬送された時、私は一人で死ぬというのは何と寂しいことなのかと思ったことをよく覚えている。

死の場合も人とのつながりをどう捉えるかによって孤独を感じずにすむ。たしかに一人で死ぬしかないが、自分の家族や親しい友人が亡くなった時、その人たちのことをすぐに忘れたりはしないだろう。そうであれば自分が死んでも思い出してくれる人はいるだろう。

別れは悲しい。生きている限り、死者に追いつくことはできないからである。しかし、そのような人とのつながりを信じられる人であれば、死の孤独は軽減するに違いない。

病む人の物語

心筋梗塞で入院した時、見舞いにきてくれた友人からヴァイツゼカーの研究会があって、毎月、ドイツ語で著書を読んでいることを聞いた。退院した翌月から参加した。

研究会は月に一度だったが、毎回、講読は四時間続くので最初は体力的に自信がなかったが、この会で医学的人間学の構築を目指したヴァイツゼカーの思想を学ぶことができただけでなく精神科医の木村敏先生の謦咳《けいがい》に接することができたのはありがたかった。

二〇二〇年に刊行されたヴィクトール・フォン・ヴァイツゼカーの『自然と精神／出会いと決断　ある医師の回想』は、この研究会で二〇〇〇年四月から読み始められ、二〇一〇年の九月に読了した。私が参加した時は『出会いと決断』が読み始められていた。

ヴァイツゼカーのドイツ語は難解である。訳読の当番になると、一月《ひとつき》準備にかかりきりになる。皆で議論するが、意味を取れない箇所がいくらでも出てくる。「これくらい考えたらいいだろう」「これが正解だというものを決めなくていい」が先生の口癖である。ずっと疑問を持ち続けながら、粘り強く考えていくしかない。哲学も精神医学も心理学も「正解」を求める人にとっては期待外れの学問だろう。

ヴァイツゼカーは次のようにいっている。これは今回出版された訳書を読み上げてから読んだ論文からの引用である。（"Krankengeschichte"）

「医師は、患者を病む時にだけ、患者の病気が医師の中へと入り込んで連続し、医師の臓器をとらえる時にだけ、医師である」

私はこんなふうに訳してみたが、先生は、しばらく沈黙してこういった。

「こんな書き方をした人は少ないが実感としてわかる。『医師は患者を病む』（Der Arzt am Patient krankt）。ひどく共感できる。そんなことを考えない医師の方が今は圧倒的に多いが、感じ取っている医師もいると思う」

医師は患者と共に道を歩むのであり、「病む人の中に起こることは、医師の中で心的（霊的）に繰り返される」

医師はただ患者と共に歩くだけでなく、医師も「患者を病む」のである。

日本経済新聞に掲載されたエッセイに先生は次のように書いている。

「最近は、マニュアル式の診断が精神医学でも主流で、人間の存在の基本構造に目を向ける私のような方法は以前にも増し少数派だ。これからも、自らの『臨床哲学』を深め、次の世代へと伝え残して行きたいと考えている」(「こころの玉手箱」二〇一三年七月五日夕刊)

先生の書斎には西田幾多郎の短冊がかかっている。

「わが心深き底あり喜《よろこび》も憂《うれい》の波もとゞかじと思ふ」

西田がこの歌を詠んだのは、五十三歳の時。既に次女と五女を亡くしていたが、数年前に妻が脳梗塞で倒れ(二年後死去)、長男も病気で亡くした。西田が五十歳の時だった。

先生自身も、二〇〇六年に、四十六歳の娘さんを亡くしている。私がそのことを自伝である『精神医学から臨床哲学へ』を読むまで知らなかったのは、研究会に入る前のことだったからだろう。

「子どもが親に先立つとは、あまりに理不尽で不自然な成り行きだが、この短歌に目を落としていると、悲哀の底に喜怒哀楽を超えた無の境地を見る西田の心が伝わる」(「こころの玉手箱」二〇一三年七月四日『日本経済新聞』夕刊)

西田幾多郎は歌をたくさん残している(『西田幾多郎歌集』)。西田は数学に入るよう勧められたことがあった。しかし、乾燥無味な数学を一生学ぶ気にならず、能力があるか自信はなかったが、論理的能力のみならず、詩人的空想力を必要とする哲学に入ったといっている（『続思索と体験』）。

数学についての西田の批評があたっているのかはわからないのだが、西田はどんな問題も、ただ論理の問題として考察したのではなかったのである。私は高校生の頃読み耽《ふけ》っていた西田の著作をプラトンを学ぶようになってからは読まなくなった。西田の哲学は論理にあまりに飛躍があって私には理解できないが、西田の歌には心打たれる。哲学が詩人的空想力を必要とするというのはわかる。

精神科医は「マニュアル式の診断」だけでは治療はできない。哲学者は論理だけで考えるだけでは十分ではない。

歌人の河野裕子は晩年乳癌を発症した。二年ほど経った頃、河野の精神状態が不安定になった。万策尽きた家族が「すがった」（河野裕子・永田和宏『たとえば君』）のが、木村先生だった。

「三年が過ぎ、四年、五年と経過するうちに、徐々に彼女の爆発の程度と回数が減ってきたことは、私たち家族にとっては、前途にほっと明るい灯のともる思いであった」（前傾

書）

河野にとって木村医師の前では心を開き安心して話をしただろう。「お変わりありませんか」「はい」「それでは、いつもと同じ薬を出しておきましょう」というような会話ではなかったはずである。

いつか研究会に出かける日に先生の夢を見た。夢の中で、私は先生の家を訪ねていた。「散歩についてくるか」といわれた。夢の話をしたら、「親のように慕っているのね」と妻に笑われた。

最後に残るもの

心筋梗塞で倒れた時、主治医から「あなたは助かったが、失ったものもたくさんある」といわれた。たしかに失ったものは多々あった。仕事を失った。今も心臓は前のようには機能していない。差し迫った異常はないが、体調を崩すことが時々ある。しかし、失ったことにばかり目を向けていてはいけないと思うようになってからは、少し肩の力を抜いて生きられるようになった。

今は少し違ったふうに考えている。樽の中で暮らしていた哲学者のディオゲネスがある日、子どもが水を手で掬《すく》って飲んでいるのを見て、持っていた頭陀袋《ずだぶくろ》を捨てたように、失ったというより、もはや持っていても仕方がないものを捨てたのである。

それでも残るものがある。それがある限り、何も失ってはいない。それは「私」である。一命を取り留めたのだから、それと引き換えに他のすべてを失っても惜しくはない。

多くの人が人生で手に入れなければならないと思っているものは「私」、自分の本質ではなく「属性」でしかない。属性というのは、学歴とかお金とか社会的地位のようなものである。カウンセリングにやってきた若い人に自己紹介を頼むと、履歴書を読み上げるように、どの大学を卒業したかとか、今どこに勤務しているかなどを話し始めることがある。そういう話をどれほど聞いてもその人がどんな人なのかはわからない。

それらには価値がないなどといったら、子どもの頃から受験勉強に明け暮れ、ようやく手に入れた学歴や職歴を手にした人は怒るかもしれないが、「私」は属性では表せない。

私の友人は長く父親の介護をしていた。いろいろなことができなくなり、多くのことを忘れても、彼は欠かさず父親と一緒に般若心経を唱えた。物心がつく頃から繰り返し、毎日唱えていたお経が父親にはずっと残っていたのだ。

私の父は晩年携帯電話を使えなくなった。私の緊急連絡先を見えるところに貼り付けておき、何かあればいつでも電話をするようにもいったし、電話のボタンを押せばすぐにつながるようにしておいた。それなのに、父は私にはとうとう一度も電話してこなかった。夜中に転倒して、腰椎を骨折した時も。

しかし、ある時、父が友人に電話をしているのを聞いてしまった。長い付き合いのあるその人には難なく電話をかけ、談笑していたのだ。父にとって大切で最後までつながりのあったのは家族ではなく、友人だった。そのような大切な友人がいてよかったと思った。その人は父よりも早く亡くなった。父に私はそのことを知らせることができなかった。

以上見てきたことは最後に残ったことではない。「ずっと」その人にとって大事なものだったのである。父が家族を大事に思っていなかったわけではないが、妻を亡くしてから京都を離れて横浜に住んでいた父にとって、友人と旅行に出かけることは生きがいの一つだったに違いない。父より先に亡くなった友人と旅行した時の話はよく聞かされた。いつも連絡を取り合っていた友人にならば操作を迷うことなく電話をかけられたのは不思議ではない。

私の師である藤澤令夫は、旧制の第三高等学校のボート部に入っていた。藤澤研究室の仲間が集う飲み会の最後は必ず先生のEins, Zwei, Dreiのかけ声で三高ボート部所縁の「琵琶湖《びわこ》就航の歌」を皆で肩を組んで歌った。先生の声はよく通る大きな声だったが、この時の先生の掛け声はいつもよりもさらに大きかった。歌い方はおよそ音楽的とはいえなかったが、先生はいつも上機嫌だった。

大学を退官後、癌で入院した。意識を失ってからも、先生はボートを漕《こ》ぐ仕草を何度もしていたと聞いた。「琵琶湖就航の歌」の六番の歌詞は次のようである。
「西国十番長命寺　汚れの現世《うつしよ》遠く去りて
　黄金の波にいざこがん　語れ我が友熱き心」
　三木清が次のようにいっている。
「執着する何ものもないといった虚無の心では人間はなかなか死ねないのではないか。執着するものがあるから死に切れないということは、執着するものがあるから死ねるということである。深く執着するものがある者は、死後自分の帰ってゆくべきところをもっている」（『人生論ノート』）
　ここまで書いて、人にとって本当に大事なものが残ればいいのにと思った。というのも、父が認知症になって過去に経験した多くのことを忘れたのに、戦争中に経験した怖い思いをいつまでも忘れずにいたことを思い出したのである。
　父は一九二八年生まれで、徴兵を待たず、予科練（海軍飛行予科練習生）に志願した。幸い、実際に飛行機に乗っての訓練を受ける前に戦争は終わった。もしも戦争が長引いていたら、父も特攻隊の一員として戦死していたかもしれない。戦死していたら、私は当然生まれなかった。

訓練中に一度、ムスタング戦闘機による機銃掃射を至近距離で受けたことがあった。その時、死というものをつくづく恐ろしいと思ったと、何度もその時のことを話した。

父は自分の戦争体験を何度も話す一方で、戦争を知らない若い政治家が勇ましいことをいうことにいつも憤慨していた。いつの時代も政治家は自らは戦場に行くことはなく、安全圏にいながら自国を守るためと称して国民を戦場に駆り出す。父のように至近距離で機銃掃射を受けるというような経験をしたら、国民は血を流さなければならないというような勇ましいことをいっている政治家も、たちまち腰砕けになって立ち上がれなくなるだろう。

父の機銃掃射を受けた時の記憶は鮮明で、父がその時のことを語っている時は恐怖をまさにその瞬間に体験しているように見えた。直近の記憶はすぐに失われ、今しがた食事をしたことも忘れる父がこのような怖い出来事をいつまでも忘れられないでいることを知って、そのようことが最後まで残ることであってはならないと思った。

第二章

本当に大事なことを考えるためには
じっくり問題と向き合い、
考え抜かなければならない

――立ち止まる「私」

かがむ人

　アドラーは、第一次世界大戦時、陸軍病院に勤務していた。そこに入院している神経症の兵士が退院した後、再び兵役につけるかどうか判断することがアドラーに課せられた仕事だった。アドラーが兵役につけると判断をすることは、兵士が再び前線に送られることを意味する。アドラーにとって、このような決定を下さなければならないことは大変な苦しみだった。

　ある若者がやってきて、兵役から解放してくれるようにとアドラーに頼んだ。彼は身をかがめて部屋の中を歩き回った。診断の結果、彼の訴えには根拠がないことが明らかになった。アドラーは患者について陸軍病院の責任者に報告書を提出しなければならなかった。その責任者が最終決定をしていた。

　若者が退院する日、アドラーは彼に目下の状態は兵役から解放できるようなものではないことを告げた。すると、それまで身をかがめていたのに、突然まっすぐに背を伸ばし、自分を兵役から解放してくれるよう懇願した。自分は苦学生で、その上、年老いた両親を養わなければならない。自分が解放されなければ、家族全体が死ぬことになると説明した（『教育困難な子どもたち』）。

アドラーは「不運な人」について、次のようにいっている。

「あたかも不吉な神が自分だけに取り憑《つ》いていて、嵐の日には雷は自分だけを狙っているに違いないと思う。何をしてもうまくいかず、自分が着手したことはすべて失敗に終わるということを確認するために全人生を過ごす」（『性格の心理学』）

そのような人は怖い目にあうことを恐れ、家の中から外に出て行こうとしない。家の中にいても強盗が自分の家に押し入ったり、飛行機が家に向けて墜落してきたりするのではないかという不安に怯《おび》える。感染症が流行している今の世の中では、自分がいち早く病気に侵されているのではないかと思う。

「このようなことができるのは、自分を何らかの仕方で出来事の中心であると見なす人だけであり、強い虚栄心に満たされているのである」（前掲書）

悲劇の主人公であることに優越感を持つのである。

「彼〔女〕らの気分はしばしば外面的な行為に表される。憂うつそうに、いつも少し身をかがめて歩くが、どんなに途方もない重荷を担っているかを見過ごされないためである。彼はからずも一生涯重い荷物を担わなければならないカリアティードを思い出させる。彼〔女〕らはすべてを過剰に深刻に受け止め、悲観的なまなざしで判断する。このような気分でいるので、何かに着手してもいつもすぐにどこかうまくいかないこと、自分自身の人生のみならず、他者の人生をも苦いものにする不運な人であることの説明がつく。そして、ここにも背後にあるのは、虚栄心に他ならない」(前掲書)

カリアティードは、古代ギリシア建築の梁《はり》を支える女神像のことである。不運のせいで人生がうまくいかないといっている限り、このような人は、課題に取り組むために必要な努力をしようとはしないだろう。

いつもかがんでいる人は重荷を背負っている。しかし、本当は重くないのである。アドラーが「怪力男」の話を書いている。サーカスの舞台で怪力男がさも大変そうにバーベルを持ち上げる。観客はそれを見て、拍手喝采をする。

その時、舞台に一人の子どもが登場する。そして、男が今し方持ち上げたバーベルを片手でひょいと持って去っていく。

この「怪力男」も身をかがめている。実際には軽いのに仰々《ぎょうぎょう》しくバーベルを持ち上げることで、人を欺《あざむ》き過度な負担がかかっているように見せることに熟達している人が多いとアドラーはいっている。

神経症者、または症状は出ていなくても神経症的なライフスタイルの人がこのような人の典型である。神経症的なライフスタイルを持っているというのは、取り組み解決しなければならない課題を何らかの理由を持ち出して避けようとする人である。かがむ人は自分にかかる負担が大変なものであることをまわりの人に訴える。かがむことで、自分が課題に取り組んでいると思わせたいのである。

そのような人は自分をも欺いている。課題から逃げようとすることをアドラーは「人生の嘘」といっている。

アドラーは神経症者をギリシア神話に出てくる巨人神であるアトラスに喩えている。アトラスはオリンポスの神々との戦いに敗れ、罰としてゼウスによって世界の西の果てで天空を背負う役目を課せられた。神経症者はこの肩に世界を担ぐアトラスのように重荷を担っていることがあっても、実はダンスをすることができるという。

アドラーは先に見た若者と話した夜、こんな夢を見た。

「私は、ある人が危険な前線に送られないように多大な努力をしていた。夢の中で、私は誰かを殺したという考えが思い浮かんだ。しかし、誰を殺したかはわからなかった。私は『誰を殺したのであろうか』と思い悩んで、精神状態が悪くなった。

実際には、私はその兵士が死なないように彼をもっとも有利な部署に就《つ》かせようと可能な限りの努力をしたという考えに酔いしれていただけなのである。夢の中の感情は、この考え方を促すことを意図していたのだが、夢が口実であることを理解した時、私はまったく夢を見なくなった。なぜなら、〔夢によるのではなく〕論理にもとづけば、何かをする、また、しないために自分を欺く必要はなくなったからである」(『個人心理学講義』)

若者を殺さないためにできる限りのことをしたと夢の中で酔いしれているだけでは駄目なのである。アドラーが解決しなければならなかった本当の課題は、戦争神経症に罹患《りかん》した若い兵士たちを決して前線に返さないことであったはずである。

現代の話でいえば、上司に有利なように文書の改竄《かいざん》をするなどの不正を犯すことを強いられる官僚のような立場にあったといえる。可能な限りの努力をしたとはいえ、実際に若者を救えるかどうかわからない。しかし、夢の中でこれほど思い悩んだのだから、勘弁してほしい。そうアドラーは思っただろう。

それでは、そのような夢の中での感情によって自分を欺くことなく論理で考えるようになるとアドラーがいう時、一体、何を考えたか。

神経症者は症状を理由に人生の課題から逃げる臆病な人である。戦争神経症も例外ではなく、心の問題を抱えている人に起こると考えていた。

アドラーが戦争は不毛であるとして、戦争を始めた政府を批判するようになったのは後のことである。その時もなお、アドラーが戦争神経症について同じ考えであったとは考えられない。神経症者は課題を前にしてそこから逃れようとする。戦争神経症者の場合、直面する課題は戦争である。そこから逃れることができない課題と逃れることが許される（あるいは逃れなければならない）課題の区別があってしかるべきである。戦争は後者である。

共同体について、アドラーが次のようにいっている。

「我々が常に共同体と結びついていたいと思うこと、結びついていると信じたい、あるいは、少なくとも結びついていると見せたいということから、独自の生き方、思考、行為の技術が生じる」（『性格の心理学』）

自分が何らかの共同体の中に所属していると感じられること。これは人間にとって基本的な欲求である。問題は、この共同体がどういう意味なのかということである。

それは「到達できない理想」であって、既存の社会ではない（『教育困難な子どもたち』）。夢を見るというような感覚に依拠するのではなく、論理で考えられるようになったアドラーは、共同体感覚という場合の「共同体」と現実の共同体をもはや混同することはなかった。戦争神経症、及び、戦争神経症者の処遇について、冷静に論理的に判断できるようになったであろう。

アドラーは直属の上司に戦争神経症者の処遇について抗議をしたか、それとも、抗議はしないで、実際には前線に復帰できる兵士を回復していないと診断しただろうか。伝記は何も語っていないが、やがてアドラーは人と人が殺しあう戦場の中で「共同体感覚」と呼ばれることになる思想の着想を得た。

通常、人は複数の共同体に所属している。現に所属している直近の共同体の利害がより大きな共同体の利害とは相容《あいい》れないとすれば、より大きな共同体の利害を優先するべきである。戦争神経症の兵士の処遇を決めなければならない時、国家を超えるレベルの共同体のことを考えれば、ただ病が癒《い》えたからといって兵士を戦場に戻すわけにはいかないだろう。

とするならば、共同体の要求、即ち、今のケースでは国家のために戦うべしという要求に否と答えなければならないこともあるということである。既に見たように、アドラーのいう共同体は現実の共同体ではないので、国家の命令に従うことを無条件に善であるとするようなことは共同体感覚とは何の関係もない。

アドラーは兵役期間中の休暇の間、カフェに集まった仲間たちに、皆が驚き困惑したことに、突如として共同体感覚を世界が今何よりも必要としているものであると話し始めた。

それまで身をかがめていたアドラーが立ち上がって希望を説き始めた瞬間だった。

ためらう人

地震があって足元が大きく揺れると本能的な恐怖を感じる。すぐに逃げなくてはと思っても身体がすくんでしまう。自分が依って立つ存在基盤が揺らぐ思いがする。

今は街中で放し飼いの犬も野良犬も見かけることはなくなったが、子どもの頃は放し飼いの犬や野良犬がたくさんいたので、犬と遭遇すると噛まれるのではないかという恐怖で足がすくんだ。子どもの頃に見た犬はずいぶん大きく見えたが、それはもちろん私が小さかったからである。

恐怖という感情はこのように対象がはっきりしている。恐れの対象がなくなれば、恐れも消える。大地の揺れが鎮まれば恐怖は和らぐ。視界から犬が消えたら恐怖も消える。

他方、不安にはこれといった対象はない。対象がないことはいよいよ人を不安にさせる。なぜ、不安には対象がないのか。必要ないからである。

対象がはっきりしている恐怖の方がわかりやすい。同じことを経験しても恐怖を感じない人がいる。犬を見ても地震が起きても平気な人がいる。

恐怖を感じることには目的がある。危険から逃げるためである。恐怖を感じればすぐに逃げ出せる。恐怖を感じて足がすくんでしまうということはあるが、自分に恐怖を引き起こした対象から逃げるために恐怖を作り出している。恐怖はこのように目の前にあるものから逃げるために作り出される感情である。

不安も基本的には同じである。しかし、その対象ははっきりとはしない。そのため、目の前にあるものから逃げるだけでなく、多くのことから逃げる。自分でもよくわからない不安に囚《とら》われてしまうと、あらゆることができなくなる。

不安も恐怖と同じように課題から逃げることを後押しする感情だが、対象がはっきりしないので、不安が起こった時、たちまち逃げるというよりは、アドラーの言葉を使うならば「ためらいの態度」を取る。

試験を受ける前の日に不安になるのはなぜか。不安である限り、積極的には試験勉強をする気にはならない。不安だから勉強が手につかないのではない。試験勉強をしないために不安になるのである。しかし、不安になったら直《ただ》ちに試験勉強をやめてさっさと寝るかといえばそうではない。「ためらう」のである。はたして、ここで勉強をやめていいものかと迷う。当然、試験を受けなかったら、単位を落とすかもしれないし、卒業できないかもしれない。それがわかっていても、不本意な結果を出すくらいなら最初から試験を受けないでおこうと考える人もいる。

不安はこのような試験を受けようかそれとも受けないでおこうかというためらいの狭間で起きる。ためらっているけれども、課題から逃げようと決めた時、不安が逃げる決心を後押しする。

不安を感じる人に何が起こっているのか。アドラーは次のような説明をしている。「防御するために、手を前に伸ばすが、時折危険を見ないでいいように、もう一方の手で目を覆う」(『性格の心理学』)

このような人は課題を前に完全に立ち止まることはないが、自分の身を守るために手を前に伸ばして課題に近づいていく。危険を見ないでいいように目を覆う「手」は、課題を前にしてためらわせる感情である。疑いであったり、不安という感情で片目を覆っているが、もう一方の目は開いているので課題を前に完全に立ち止まらない。恐怖を感じるのであれば、完全に立ち止まるか、逃げ出すだろうが、不安な人は優柔不断である。

課題を前にして不安になるのは、必ずしも課題自体が困難であるからではない。むしろ、課題に直面しないでおこうという決心がまずあって、その決心を後押しし、それを強化するために不安になるのである。

これから取り組もうとする課題について、何もかもわかっているということはないだろう。実際に取り組んでみないとわからないことは多々ある。その意味で、誰でも多かれ少なかれ不安になるものだ。

このように、ためらって最終的に課題から逃れるとすれば、その課題が自分の手に負えないと判断するからだが、何事もやってみなければわからない。必ずやり遂げられると思っていた課題が手掛けてみたら思いがけず難しくてやり遂げられなかったということもあれば、その逆の場合もある。

不安を解消するのは簡単だ。試験の前に不安なら勉強すればいい。勉強だけではない。どんな課題でも同じである。課題を前にして「はい、でも」という人は多い。やってみた方がいいのはわかっている。「でも」できないという。

もちろん、やってみても望む結果を出せるとは限らない。しかし、思っている以上によい結果を出せることも当然ありうる。不安は「しない」という決断を強化するために必要な感情である。

アドラーが、自分自身の子どもの頃の回想を語っている（『教育困難な子どもたち』）。まだ五歳だったのに、アドラーは小学校に入学し、毎日墓場を通って学校に行かなければならなかった。この墓地を通って行く時、アドラーは不安を感じ、いつも胸が締めつけられるようになった。

墓地を通る時に感じるこの不安から自分を解放しようと決心したアドラーは、ある日、墓地に着いた時、級友たちからは遅れ、鞄を墓地の柵にかけ一人で墓地の中へ歩いて行った。墓地の中を最初は急いで歩き、それからゆっくり行ったりきたりしているうちに、ついに恐怖をすっかり克服したと感じることができた。

三十五歳の時、アドラーは、あの頃の級友に出会って、この墓地のことをたずねた。

「あのお墓はどうなっただろうね」

そのように問うアドラーに友人は答えた。

「お墓なんかなかったよ」

友人の証言が正しければ、その中をアドラーが勇気を振り絞って駆け抜けた墓地は実際には存在しなかったことになる。けれども、アドラーにとっては、墓地が実際にあったかどうかは問題ではなかった。

なぜ、アドラーはそのような過去の記憶を必要としたのか。子どもの時に困難を克服しようと勇気を奮い起こしたことを思い出すことが、その後の人生において困難を克服し、苦境を乗り切るために必要だったのである。あの時も困難を克服できたのだから、今もできないはずはない。そう自分に言い聞かせたわけである。

今の人生に向き合う姿勢を変えることで過去が変わったり、それまで忘れていたことを思い出すこともある。

時間を止めたい人

時間を止めたい人がいる。そのような人はまた「足踏みをしたい人」だともアドラーはいう（『人はなぜ神経症になるのか』）。なぜ時間を止めたいのか。課題に直面することを恐れるからである。

明日、試験を受けなければならない時、絶対にいい点を取れるという自信がある人でなければできるものなら受けたくないと思うだろう。生徒が試験の前日に学校に放火したということがあった。そんなことをしてみても、試験は延期されるだけなのだが。

試験を受けたくない人は時間を止めたいのである。しかし、時間を止めていいかはわからない。ずっと試験のために勉強しなければならないからだ。

もう一つは幸せな時間。幸せが続きすぎると、その後に不幸な出来事が起こりそうだと怖くなるという人がいる。このような人は一体何を恐れているのか。具体的に考えているわけではないかもしれない。今はこれほど愛されているけれども、いつかこの人は私の元から立ち去っていくかもしれない。このようなことを幸福の最中に考えるのである。

このような人は万事につけ悲観的で、どんなに嬉《うれ》しいことがあっても、そこにアドラーの言葉を使えば「人生の影の面」を持ち込む。楽しい時間を過ごしているはずなのに、ふと黙り込んでしまう。一体どうしたのかと相手がたずねても何も答えない。

対人関係に「人生の影の面を持ち込む」とどんなことが起こるか。少しでも相手の態度に以前とは違うことを見つけると、それは前のように自分が愛されていないことの証左だと思ってしまう。一度そう思ってしまうと、相手の態度が実際には何一つ変わっていなくても、以前のように無邪気になれなくなる。

相手の心変わりを恐れ不安になることには目的がある。何か実際に不安になるような出来事を経験したからではなく、その目的のために不安という感情を作り出すのである。

それは課題から逃れるためである。二人で愛を育んでいく努力をしなければならないにもかかわらず、そのような努力をしないで未来の不安を理由にして二人の愛を育むという課題から逃れようとする。この人と一緒に生きていく自信がなくなったというようなことをいうのである。

人は「今ここ」でしか生きられないが、時間を止めることはできない。「今」は刻々未来へと移っていく。ヘラクレイトスがいうように「万物は流転する」のである。それゆえ、二人が何もしなくても時間は過ぎていく。時間は経っていくが、二人の関係に何かの変化が起きるとすれば、どちらかが、あるいは、双方がたとえ無意識であっても、関係を変えようとしているはずである。

最初からあまり積極的に関係を進めたくない人は不安になる。今はこんなに幸せでもいつかきっと不幸なことが起こる。相手の態度の中に自分が愛されていない証拠を見つけようとすればいくらでも見つかる。

どうしたら今の幸せな時間を心から楽しめるか。

まず、これから起きることについて、ただ起きるに任せ自分では何もしないというのではなく、何かできることはないか考えることである。対人関係についていえば「影の面」を見るのではなく、「光の面」を見るように努めなければならない。

次に、幸せなことが続いた後に、その幸せな時間をふいにするような不幸なことが起こったとしても、両者には因果関係はないということを知らなければならない。幸せなことが続いたので不幸なことが起こったのではない。反対に、不幸なことが続いたので、次は幸せなことが起こるということはない。それぞれの出来事はただ起こるのである。

第三に、人は今においてしか幸福であることはできないのだから、今幸福を感じているのであれば、先のことを考えないことである。先に不幸な出来事が起こりそうなので今楽しめないのではなく、今、心から楽しまないために先のことを考えて不安になるというのが本当である。

人生は論理的、合理的ではないので、これからの人生に不幸ばかり続くとは限らない。いよいよ幸せなことが起こるかもしれない。これまでの人生においても、実は幸せなことが続いてもその後不幸な出来事が起こったことはなかったかもしれないのである。

今後何が起こるかを制御することはできない。新型コロナウイルスの影響で世界がこれほどまでに大きく変わると予想した人は誰もいなかったであろう。それでも、同じ経験をした人が皆不幸になったわけではない。

人が失うことを恐れているのは、幸福ではなく幸運である。外的な条件がそろってたまたま得られた幸運は容易に失われる。しっかり勉強して臨んだ試験でいい成績を取ったのとは違って、試験の山が当たって合格したというのと似ている。

北條民雄の『いのちの初夜』という短編小説集に収められている「眼帯記」に、ハンセン病に罹患した「私」が「お前は生への愛情だけを見て来たのではなかったのか、そして生命そのものの絶対のありがたさを、お前は知ったのではなかったのか」と自問している。この病気は今は治る病気だが、当時は治癒しないとされていた。ここでは、回復の可能性とは関係なく、生命そのもの、生きていることそのもののありがたさが語られている。

私が心筋梗塞になったのは二〇〇六年だった。一月ほどで退院できたが、その後も体調はなかなか戻らなかった。ようやく病気になる前のように働けると思えた矢先に父の介護をすることになった。自分が病気になったわけではないが、またもや人生の行手が遮《さえぎ》られたような気がした。しかし、私の病気、回復、父の病気には因果関係はない。健康な私が病気になり、回復した私が父の介護をすることを通じて私は幸福だった。思うように仕事はできなかったが、生きて私が父の介護をできたことはありがたいことだった。

このように思えれば、幸福は何があっても揺らぐことがないものになる。

ゆっくり生きる

他方、時間を止めたくないように見える人がいる。

「早く与えるものは二度与える」というラテン語の諺《ことわざ》がある。政治家が何事についても決めるのが遅く、決めてからも実行するのが遅いようでは駄目だが、自分がしなければならない課題をするのであれば、普通の人は課題にもっとゆっくり取り組んでいいと思う。

仕事ではメールを出せば即時で返事がくるのはありがたい。長い時間をかけて書き上げた原稿を編集者に送っても、すぐに受け取りの返事がこなければ不安になる。今はメールで原稿を送れるので、もしも何らかの原因で届いてなかったらもう一度送ればいいだけだが、原稿や校正紙を郵送していた頃は、受け取ったという返事があるまでは不安だった。万が一のために必ずコピーを取っておいたが、そのコピーを取るのに時間がかかり面倒だった。

アドラーがある時、夜中に目を覚ました。その時見ていた夢は非常に鮮やかで、船が海の中に沈んでいくのを見ているようだった。次の日、タイタニック号が沈んだことをアドラーは知った。夜中に目を覚ましたのはちょうどタイタニック号が沈んだ時間だった。

しかし、見かけほど偶然ではなかったとアドラーはいう。その時、アドラーは一部しか手元に残っていない『神経質的性格について』の原稿のことで心配していた。アメリカに原稿を送ったのだが、いつものようにコピーを取っていなかったのである。船が沈めば何年もかかった仕事がふいになるところだった。

ここでいわれているコピーというのは、カーボン紙を二枚の紙の間に挟んでタイプライターで原稿を打ったということだろう。本の原稿はタイタニック号には乗せていなかったので、まもなく無事届いたという知らせを受け取った（Bottome, *Alfred Adler*）。

このエピソードは、アドラーはこのような経験をしてもそれに神秘主義的な意味づけをしない、この時アドラーはテレパシーを経験したわけではないということを説明する文脈で引かれるのだが、それは措《お》いておくとしても、原稿が無事届くだろうかという不安は私にはよくわかる。

話を戻せば、今の時代は何事もなければメールは一瞬で編集者のメールボックスに届くはずだが、それでも返事がなければ心配になる。受け取ってもらえても、原稿を読んで頭を抱えている編集者の姿を想像してみたりする。

付き合っている二人であればメールの交換は楽しいが、一度関係がギクシャクし始めると相手の言葉の一つ一つに引っかかりを感じるようになる。手紙であれ電子メールであれ、返事がこなかったらもともとより遅れるだけでも不安になる。

普通のメールでも、返事がすぐにこなければ何か相手の機嫌を損じるようなことを書いてしまったのではないかと心配になる。郵便であれば届くのが遅れても、郵便局の事情によるものではないかと思ったりもできるが、電子メールであればその気があればすぐに返事が返ってくるはずなので、短い時間であっても不安になる人は多い。

それでは、逆の立場ならすぐに返事を書いているかといえばそうでもない。「書けないのではなくて、書きたくないのですね」と誰かから問われたら、そうだと答えるのが正解かもしれない。しかし、書きたくないわけではない。書きたい時に書きたいのだ。もちろん、仕事のメールへの返事や仕事そのもの（私の場合は原稿を書くということだが）を書きたい時まで待つことは許されないのだが。

今日という日にしたいことがある。ところが、その日に急ぎのメールがくる。割り込んでくるという感じである。

電子メールでないメールをsnail mailという。カタツムリメールという意味である。すぐに返事を出そうと思えば出せる便利な時代になったけれど、その便利さに自分を合わせる必要はない。

『終《つい》をみつめて』は八木誠一と得永幸子の往復書簡集である。二十六年に渡って百信が交わされた。「もうこなくなったかと思っていたお手紙が着きました」という言葉が印象的である。返信がすぐにこなくても、すぐに返信を書けなくても、二人はずっと相手のことを思い続けていたはずである。

立ち止まる

　長年勤めていた職場を辞める決心をした人がいた。棚上げにしてきた夫婦関係を見直したいというのが、退職を決心した一つの理由だった。仕事に追われゆっくりと考える時間がなければ、大事な問題であってもじっくりと向き合うことはできない。しかし、本当は忙しいので夫婦関係を棚上げにしてきたのではない。問題と向き合わないために仕事が忙しいことを理由にしてきたといったほうが正しい。

　本当に大事なことを考えるためにはじっくり問題と向き合い、考え抜かなければならない。そのためには、立ち止まらないといけない。

　デカルトは、森の中で迷った時には、あちらこちらにさまよい歩いてはいけないといっている。それではデカルトは「止まれ」というのかといえばそうではなく、「まして、一つの場所に留まってはいけない」、いつも同じ方向にできるだけ真っ直ぐ歩けば、望むところへ正確に行き着かなくても、最後にはどこかに行き着く、その方が森の真ん中にいるよりはいいだろうといっているのである（『方法序説』）。

しかし、歩き続けるのをやめ、立ち止まるべきだと私は思う。ともかく、一度歩くのを止めなければ、いよいよ迷い続けることになるだろう。真っ直ぐ歩き続けても、必ず森から脱出できるかわからない。

まずは、立ち止まった上で、地図を見るなり、人にたずねるなりすればいい。もっとも地図を持ち合わせなかったり、誰も通りすがる人がいないかもしれないが、迷うといっても森の中で迷うのでなければ、通りがかりの人に助けを求めることはできるだろう。

どう生きればいいのか迷うような時には、まわりに誰もいないわけではない。もっとも、まわりの人に相談したくないと思っている人は相談できる人がいてもしない。

そのような人は街中で道に迷ってもたずねない。自力で何とかしようとする。いつか公開で対談をすることになっていた相手が打ち合わせの時間になっても姿を見せなかったことがあった。結局、本番ギリギリに会場にやってきたその人とは打ち合わせをしないで壇上で対談をすることになったが、対談が終わってからなぜ打ち合わせの時間に遅れたのかとたずねたら、会場の近くまできたがどの建物かわからなかったので、この辺りかと思ったところで立っていたという。

「立っていて、どうしようと思ったのですか」

「きっと誰か私を知っている人が見つけてくれるかと思った」

この時、彼を誰も見つけてくれなかったらどうしたのだろうと、この日の出来事を時々思い出す。

なぜ、立ち止まらないのか。一度歩き始めたらよほどのことがなければ立ち止まってはいけないと思っているからである。よほどのことというのは、例えば病気をするというようなことである。

一度決めたからといって決心を翻《ひるがえ》していけない理由はない。デカルトは妙なことをいっている。

「自分の行動において、できる限り確固とし、決意を固めること。そして、どんなに疑わしい意見でも、一度それに決めたなら、きわめて確実な意見である時に劣らず、変わらず従うこと」

どんなに疑わしい意見にでも従え、さらには、ただ偶然にこの方角に行こうと決めたとしても、たいした理由がなければ方向を変えてはいけないという。

人生においては、ある方向に偶然歩み出すことはたしかにある。この場合、偶然というのはあまり適切な表現ではないかもしれない。あまり深く考えることなく、成り行きで人生をある方向に踏み出すということである。何となく皆が行くからという理由で大学に進学するとか、親から資格を取った方がいいといわれて看護師の資格を取るべく、看護学校や看護大学に進学することがある。

自分の人生なのに、どんな人生を送ることになるのかを考えずに進路を決めてしまっていいのかというと、将来何をしたいかを考えようにも大学に入れなければ何も始まらないと答えた生徒がいた。法学部と経済学部のどちらでもいいのだ、受かったら考える。いや、法学部と経済学部を卒業するのでは、その後の人生が大きく違ってくるだろうと私はいったが、それに対しては、でも、特に大学を卒業してからしてみたいことはなく、そもそも大学で勉強したいこともないという答えが返ってきた。

こんなふうにあまり考えることなく人生を生き始めたところ、思いがけず自分が就いた仕事が面白いと思える人はいるだろうが、こんなはずではなかったと後悔する人もいるに違いない。

そのような時には、惰性で歩き続けてはいけないと思う。これからどうするかを考えるために立ち止まる必要がある。

ところが、今自分がしていることが自分には向いていないことがわかっても、これまで多くのエネルギーと時間、それにお金を費やしてきたら、別の道に進もうとは思わない。

反対に、仕事を始めたばかりの時に仕事を辞める決心をするのには、長く勤めた後に退職し別の仕事に就く決心をする場合よりもいっそう勇気がいるかもしれない。

私は四十歳の時に初めて常勤の仕事に就いた。それまでは毎日保育園の送り迎えをするなど子どもたちと関わる時間が長かったが、下の娘がようやく小学生になったので、勤める決心をしたのである。これで一人前になれたような気がした。この先何事もなければ二十年以上勤めることになるかもしれないとも漠然と思っていた。

実際には、就職して一週間もしないうちにここでは働き続けられないと思った。朝早く家を出て遅く帰る生活をそれまで一度もしたことがなかった。子どもを保育園に送り届けた後は、家でゆっくりと本を読んだり原稿を書いたりしていた。就職するととにかく疲れてしまって、哲学の研究ができなくなった。

休みの日に週日にできなかった研究をするのだが、本業を疎《おろそ》かにしていると上司からいわれた時にはもうここでは働けないと思った。それなのに、辞める決心をするまでに三年もかかった。就職してすぐに辞めたら人からどう思われるか気にしたのである。

長く働いてから辞める時には、このまま納得できないまま仕事を続けても、定年退職まで残された時間はわずかしかないので、違う仕事に就く決心をすることはそれほど難しくはないかもしれない。そのまま何もしないでやり過ごすということも、当然選択肢としてはありうる。

自分は仕事を続けたくても、会社が希望退職を募ることがある。今の時代はコロナ禍でこの先業績の改善が望めないからと早々に退職する人がいて、その数は会社の想定を上回ることがあるという。

若い人であれ、長く同じ会社で働いてきた人であれ、思い切って仕事を辞め、違う仕事に就く人はいる。

四月に就職したばかりなのに、五月の連休前に会社を辞めた若者がいた。なぜそんなに早く辞めたのかとたずねたら、先輩や上司を見ていても、少しも幸福には見えなかったからだという。

同じ仕事をしても、自分は先輩や上司とは違うと考えたり、まだ就職したばかりなのでもう少し様子を見てみようと思ったりする人も当然いるだろう。しかし、私にはこの若者の考えはどれだけ長く勤めても変わらないのではないかと思った。

彼は成功者として人生を生きるのは止めようと思ったのである。成功しても幸福でなければ意味がない。このように一度思ってしまうと、もはや元に戻るのは難しいだろう。

彼の親は決断を支持したが、大方の親は子どもが入社早々会社を辞めると言い出したら、翻意を促すだろう。一時的な気の迷いだというかもしれない。もう少し我慢して働き続ければ、今の職場に馴染《なじ》めるかもしれないというようなことをいうかもしれない。

このようなことをいう親がはたして子どもの人生を本当に心配しているのかというと疑わしい。

娘が教育大学に合格した時に、「これで娘の人生は決まった」と喜んだ人を知っている。教師になれば一生安定した人生を送れると思ったのだろうが、これから先の人生がどうなるのかどうして親にわかるのだろうか、大学に合格したぐらいでどうして人生が決まったと思えるのかと私は思った。教師になったけれども自分には向いていないと思って早々に辞めることになるかもしれない。実際、どんな仕事も就職すれば思い描いていた仕事とはまったく違ったということはありうる。

親はせっかく就職したのに子どもが仕事を辞めるというようなことを言い出せば、不安でならない。だから、親がこれで子どもの人生は決まったという時、その意味はこの先何も問題を起こしてはいけない、もちろん、仕事を辞めてはならないという子どもへの命令である。子どもは親からそんなことを決していわないという属性付与がされたわけである。教師になった私の友人は激務のために過労死した。労災の認定が下りるまで何年もかかった。そんな人生になるなどとはもちろん教師になった時には思いもよらなかっただろう。

先の人生は何も見えない。先の人生が見えないことに不安を感じるとしても、不安を感じるのは本人であって、親ではない。親が不安だからといって、子どもに安定した仕事に就いてこの私の不安を解消してほしいなどと親はいえない。もちろん、親はそんなことはいわない。あなたのためを思っていっているというだろう。

五月の連休を待たずに会社を辞めた若者は会社を辞める決断を先延ばしにしなかった。そのことが彼にとってよかったかどうかはすぐにはわからない。しかし、もしも後になって自分の決断が間違っていたことが明らかになれば、その時、これからどうすればいいかを考えればいいだけのことである。辞める決断ができたのは、ともかく立ち止まったからである。迷ったのに歩き続ければ、森の外に出られるという保証はどこにもない。考えずに歩き続け、やはりこの道ではなかったとわかった時に、迷ったところまで戻るだけでもかなり歩かなければならない。決断は早い方がいい。

なんにもどうでもかまわない

哲学者の九鬼周造がこんなことを書いている（「小唄のレコード」『九鬼周造随筆集』）。

林芙美子が北京の旅の帰りに九鬼のいる京都へ立ち寄った。林が何かの拍子に小唄が好きだといったので、小唄のレコードをかけて聴いた。

「小唄を聴いてるとなんにもどうでもかまわないという気になってしまう」

林の言葉に「心の底から共鳴」した九鬼はこういった。

「私もほんとうにそのとおりに思う。こういうものを聴くとなにもどうでもよくなる」

林とこの日一緒に九鬼の家にやってきた成瀬無極は、

「今まであなたはそういうことをいわなかったではないか」

と九鬼を詰《なじ》るようにいった。

九鬼が「男がつい口に出して言わないことを林さんが正直に言ってくれたのだ」と書い

ているることに私は驚くのだが、世の中にはもっと大事なことがあって、小唄（でなくてもいいが）を聴くと「なんにもどうでもよくなる」というようなことは「男が」公然といってはいけないと考えられていたのだろう。それは今も変わっていないかもしれない。

九鬼は続けてこういった。

「私は端唄や小唄を聴いていると、自分に属して価値あるように思われていたあれだのこれだのを悉《ことごと》く失ってもいささかも惜しくないという気持になる。ただ情感の世界にだけ住みたいという気持になる」

「自分に属して価値がある」と思われていたものというのは、お金とか名誉とかである。三木清がいっているように、そのようなものをどれほど海辺で拾い集めても、破壊的な大波が人をひとたまりもなく深い闇の中に連れ去ってしまう。

「私はここにいる三人はみな無の深淵の上に壊れやすい仮小屋を建てて住んでいる人間たちなのだと感じた」

と九鬼はいう。

壊れやすい仮小屋の他に何か堅牢な建物などない。「仮」の小屋ではなく、これだけが唯一の住処《すみか》である。

私は小唄を聴いたことはないが、学生の頃、オーケストラでホルンを演奏していたので、今もクラシック音楽を聴くと、他のことはどうでもよくなる。

今は韓国文学に関心があって、締切原稿があっても辞書を引きながら小説やエッセイを読んでいると、他のことはどうでもよくなってしまう。

台湾文学の翻訳者である天野健太郎がこんなことを書いている。

「三食をつましく作って食って、近所を散歩して俳句作って、あとは家にある本とCDを消化するだけの人生で別にいいのだが」（『風景と自由　天野健太郎句文集』）

「別にいい」のである。働かなければ食べられないわけだが、「つましく作って食って」生きればいい。人は食べるために生きているわけではない。

実際には天野はこれ「だけ」ではなく、翻訳者として多くの仕事をした。七年間に十二作の翻訳を出版している。

私が天野のことを知ったのは、講演で行った台湾でのことだった。中国語文法のあらましを学んだので台湾の出版社の編集者に、次に何を読めばいいかたずねた。すぐに何冊かの本が届いた。そのうちの一冊が呉明益の『天橋上的魔術師』だった。

当時は私の力ではこの本を原文で読む力はなかった。そこで、翻訳はないものか調べたところ、天野の翻訳があることを知った。

『歩道橋の魔術師』に続けて、天野が訳した『自転車泥棒』も読んだ。天野はこの翻訳が刊行された二日後に四十七歳で亡くなったことを知った。

私がバイパス手術を受けた時の執刀医は激務で、手術は早朝から深夜に及んだ。それなのに、同じ病棟の看護師から、その医師は病院を遊び場だと思っていると聞いた。手術をしていない時には、いつも患者や家族と話していた。私の見舞客とも楽しそうに話をしていた。

激務だったので、その疲れを癒すために病院を「遊び場」にしていたのではなかったであろう。真剣に遊べる人は仕事にも真剣に取り組む。仕事も決して手を抜かない。仕事をしているから遊んでもいいというのではない。

私が入院していた時に、スノーボードが趣味だという看護師がいた。冬はもとより春になっても京都から北上して山形まで雪を追いかけていくといった。この看護師の仕事はこの趣味を楽しむための手段でしかなかったかというとそうではなかった。

スノーボードの話を身体を拭いてもらっている時に聞いたが、別の日には、なぜ看護師になろうと思ったかたずねた。中学生の時に祖父が入院した。見舞いに行ったら、髪の毛を梳《と》かしてもらえず、髭も伸び放題だった。そこで、毎日学校の帰りに病院に行って祖父の世話をした。その経験が看護師になることの動機になったかとたずねたら、間違いなくそうだという答えが返ってきた。

旧約聖書の『コヘレトの言葉』には何事も、例えば、生まれる時にも、死ぬ時にも「時」があって、人が苦労してみたところで何になろうとある。

しかし、その次にはこう書いてある。

「人間にとってもっとも幸福なのは喜び楽しんで一生を送ることだ」

プラトンは、正しい生き方とは一種の遊びを楽しみながら生きることであるといっている（『法律』）。

生きることは苦しい。こんなふうに生きたいと思っても行く手を阻むことが起こる。それでもその人生を楽しんで生きることはできる。

「誰でも、ふとしたときに、わけもわからないまま、なにかに惹かれてしまうことがあるらしい」（天野、前掲書）

コロナ禍の最中《さなか》に引っ越した。ずいぶん前に決めていたことだったが、引越を延期しなければならないという懸念もあった。引っ越したのは娘夫婦の家の近く。孫たちと毎日会える。孫たちと遊んでいたら、仕事がほとんど進まないこともあるが、なんにもどうでもかまわなくなる。

このように思う時、「美しい時間」の中に生きている。加藤周一は次のようにいっている。

「細い径の両側に薄の穂がのびて、秋草が咲いていた。雑木林の上に空が拡り、青い空の奥に小さな白い雲が動く。風はなく、どこからも音は聞えて来ない。信州の追分の村の外れで、高い空と秋草の径は、そのとき私に限りなく美しく見えた。たとえ私の生涯にそれ以外の何もないとしても、この美しい時間のあるかぎり、ただそのためにだけでも生きてゆきたい」（加藤周一『小さな花』）

美しい時間は日付を失うが、その感覚の質と密度は失うことはない。日付のない時間は永遠の時間でもある。そのような時間は急に訪れ、急に消える。

退院して二ヶ月、まだ療養のため仕事を控え、家の中にいることが多かったある日、ふと窓から空を見上げたら虹がかかっていた。美しい時間は誰でもどんな状況の中でも持つことができる。

「美しい時間が人生にどう役立つかではなく、それが私の人生にどんな意味をあたえるかということだけが、根本的な問題であるように私には思われる」

美しい時間は誰でもどんな状況の中でも持つことができる。

脳梗塞のために身体を自由に動かせなくなった母が、病床で手鏡を使い、飽くことなく景色を見ていたのを思い出す。その鏡に映った景色を当時の私は見ようとしなかったし、何を見ているのかたずねようともしなかった。病床にあっても、母は美しい時間を持てた。鏡には虹が写っていたかもしれない。

「その人にとっての一つの小さな花の価値は、地上のどんなものと比較しても測り知ることができない。したがってひとびとがそういう時間をもつ可能性を破壊すること、殊にそれを物理的に破壊すること、たとえば死刑や戦争に、私は賛成しないのである」

加藤が存命なら、死刑、戦争に並んで原発を加えただろう。政治家に幸福にしてもらおうとは思わないが、美しい時間を持つことを政治家に阻まれたくない。

加藤は、さらに、次のようにいっている。

「一九六〇年代の後半に、アメリカのヴィエトナム征伐に抗議してワシントンへ集まった『ヒッピーズ』が、武装した兵隊の一列と相対して、地面に座り込んだとき、そのなかの一人の若い女が、片手を伸ばし、眼のまえの無表情な兵士に向って差しだした一輪の小さな花ほど美しい花は、地上のどこにもなかっただろう。その花は、サン・テックスSaint-

Exの星の王子が愛した小さな薔薇である。また聖書にソロモンの栄華の極みにも比敵したという野の百合である」（『小さな花』）

　一方に、史上空前の武力、他方に、無力な女性。一方に、アメリカ帝国の組織と合理的な計算、他方には無名の個人とその感情の自発性。権力対市民。自動小銃対小さな花。

　一方が他方を踏みにじることは容易である。しかし、人は小さな花を愛することはできても、帝国を愛することはできない。

「花を踏みにじる権力は、愛することの可能性そのものを破壊するのである」

　権力の側につくのか、小さな花の側につくのか。選択を迫られることが人生においてはある。アメリカの俳優ピーター・フォークが天皇から招待された時のことを加藤は伝えている。その晩は先約があると断ったのである。

「私は先約の相手に、友人か恋人か、一人のアメリカ市民を想像する。もしその想像が正しければ、彼は一国の権力機構の象徴よりも、彼の小さな花を択んだのである」

　権力に対して人間の愛する能力を証言するためにのみ差し出された無名の花の命を、常に限りなく美しく感じるのである、という加藤と同感である。

贅沢に生きる

これまで贅沢《ぜいたく》な生活をしたことはないし、贅沢な生活を羨《うらや》ましいと思ったこともない。ただし、贅沢と思えるような買い物をしたことはある。

大学院を終えると、アップル社が発売したばかりのマック（Macintosh）を買った。当時、このパソコンは百万円近くした。そんなお金はどこにもなかったが、大学院の奨学金を購入に充てることにした。奨学金の返済には三十年かかったので、私にとって生涯一番の贅沢な買い物だった。

しかし、これは「贅沢」な買い物だったのか。値段のことだけを考えれば、それらを買った時の私の経済状況には見合わない贅沢な買い物だったのは本当だが、贅沢な買い物だったかどうかは、値段だけで決めることはできない。

悪筆の私は自分でも何と書いたかすぐにわからなくなるので、書いたものをプリントアウトしたいと思ったのは動機の一つだが、その目的のためだけであれば当時ワープロの専用機はあった。しかし、私はただワープロとして使うだけでなく、研究でも使いたいと思った。それまで紙のカードに書籍や論文から必要な箇所を写してそれを書き留めていたが、パソコン上でそれができないかと考えたのである。

私は高価なパソコンだったが研究のために必要だったので手に入れたのだから、私は贅沢をしたわけではない。贅沢というのは、必要でないもの、必要以上のものを手に入れようとすることであると考えた。

しかし、必要でないものを手に入れることは贅沢なのか。高かったけれども必要だったと無理やり自分に言い聞かせていたともいえないわけではない。高かったけれども、私には「必要」だった。「私には」と書いたのは、他の人にとっては必要であるかはわからないからだが、いくらでも、贅沢な買い物ではなかったと自他が納得できる理由を探し出すことができる。

私がマックを買ったのは必要だったからだけではない。当時のマックは事実上日本語が使えなかった。しかし、欧文の文献を読んだり欧文で原稿を書くこともあったので、研究の必要のためには日本語が使えなくてもよかった。もしも本当に研究に必要で有用なパソコンを選ぶのであれば、マックは選択肢から外したかもしれない。

私がマックを手に入れようと思ったのは、スティーブ・ジョブズの、この世界を変えたいという考えに共鳴したからである。彼と私はほぼ同い年だった。〝The Computer for the rest of us〟という言葉で表された、言葉の本当の意味でのパーソナル・コンピュータであるマックは本当にこの世界を変えることができると思ったし、世界が変化する過程をこの目で見たいと思った。

先に必要以上のことをすることが贅沢だと考えたが、このように考えると、必要でないことをすることが贅沢であるともいえる。必要ではなくても、可能性や夢を買うことは贅沢ではないだろう。

さらにいえば、夢を買うのならお金もいらない。あるいは、夢はお金では買えない。世の中にはお金では価値が測れない贅沢がある。

一日、山中を歩き回り、バードウォッチングをする。観光名所を次々に訪れるのではなく、同じ場所に長く滞在する。仕事や勉強のためでなく、楽しみのために本を読む、等々、私はいくらでも思いつく。

何が贅沢なのかは多分に主観的なところがある。他の人が客観的に、これは贅沢かそうではないかと決めることはできないという意味である。

はっきりしていることは、人は贅沢するために贅沢を求めるわけではないということである。幸福であるために贅沢を願うのである。贅沢な生活をしていても少しも幸福であると感じていない人もいるだろう。そうであれば、贅沢のためにお金をかけようとかけまいと、またお金では測れない贅沢を求めようと、そうすることが幸福であると思えるかが、真の贅沢かそうでないかを決めるのである。

さらにいえば、贅沢は何かをすることではない。schoolという言葉の語源はギリシア語のschole（スコレー）である。「暇」という意味である。今の学校は忙しすぎる。忙しい学校は学校とはいえない。学校に限らず、今の社会は忙しすぎる。時間があること、暇があることは最高の贅沢であり、これ以上の幸福はないと私は思う。

若い人の手帳を見せてもらったことがあるが、毎日の予定がびっしりと書き込んであった。予定のない日が怖いという。「何か面白いことない？」と若い人がいっているのを聞くと、面白いことはいくらでもあるのにと思ってしまう。実際、面白いことはいくらでもある。

生涯、時間に追われて生きてきた人は、定年を迎え、会社に行く必要がなくなるとたちまち暇をかこつようになる。しかし、まさにその暇を手に入れるために働いてきたのではなかったのか。

片付けないで生きる

生まれてから六十年あまり暮らした街から引っ越した。

荷物を整理し、落ち着くまでには時間がかかった。書斎はとりあえずダンボール箱から本を出してきて書棚に放り込んだだけだが、今は来客がない限り本を出しっぱなしにしていてもいいので、すぐに仕事に着手できるのはありがたい。

本を機械的に並べればいいものを、本を開けてしまうと作業が進まない。早速、徐京植と多和田葉子の往復書簡集を見つけて、読み始めてしまった。

徐京植がベルリン在住の多和田葉子の自宅を訪ねたのは、多和田が長年暮らしたハンブルクからベルリンへ引っ越して間もない時だった。廊下には梱包を解かないままの箱がいくつも積み上げられていた。徐が通された居間兼書斎には、机、椅子、書棚、それにエレキ・ギターがあった。その部屋の床に胡座《あぐら》をかいてお茶を飲み、お菓子をつまんだ。床に胡座をかいたのはまだ片付けがすんでなくて、ダイニングにもまだ梱包が解かれない箱が所狭しとあって、荷物を押しのけて皆で話をしたのだろうか。

今は人が訪ねてくることがないので、私は安心して書斎の机の上に本を何冊も出しっぱなしにしているが、いざ来客があるとなると本を片付けなければならない。片付けなくても本を積み上げてお茶を出せるくらいのスペースを確保しなければならない。しかし、片付いてなくてもそんなことに構わず、話し込むことができる人がいれば幸いである。

書斎の話から始めたが、私はダイニングで仕事をすることが多い。書斎にこもっている時間よりも、ダイニングで過ごす時間のほうが長いかもしれない。日の光が差し込んでくるダイニングは明るく、刻々と形を変える雲や遠くに望む比叡山をぼんやり眺めている。

ダイニングで仕事するのは今に始まったことではない。孫たちと話していても思考が途切れることはない。書斎でずっと考え事をしていても、その時に書いているテーマについてだけ考えているわけではない。

ポルピュリオスの『プロティノス伝』によれば、哲学者のプロティノスは考察を最初から最後まで自分の心中で完成させておいてから書き始めた。その様子は他の書物から転写しているのかと疑われるほどだった。執筆の途中で他の誰かと話をしても、対話の相手が帰るとそれまでに書かれていた部分を読み返すこともなく残りの部分を書き継いでいくことができた。そのありさまは、まるで談話をした途中の時間がまったくなかったようであったとポルピュリオスはいう。

　こんな真似は私にはできないが、人と話していたらその時には思考は中断しているが、思考そのものは会話で中断しても消えることはない。きっとプロティノスもそうだったのだろう。

　ところで、考えをまとめるためには散らかさなければならない。散らかっているものがなければ片付ける必要がないように。真空の中では鳥は飛べないように、考えはあちらこちらに飛んでいくが、何も抵抗がなければ飛んでいくことはできない。

　考える時に本を読むのは抵抗が必要だからである。本を読む時、著者の言葉をたどるだけではなく、自分自身の考えに耽ることがよくある。

　これは散歩の途中で道草をするのと同じである。何か用事があって出かけるのとは違って、散歩にはどこかに行くという目的地があるわけではない。どこかに出かけても、最終的には家に帰るのだから、出かける時の目的地はどこでもいいわけである。そこに行き着くことができてもいいし、できなくてもいい。

あそこに行こうと決めて出かけたのに、その場所を見つけられずに帰ってくることがあってもいい。そこに行くことが散歩の目的ではないからである。また、次の日も出かける。そして、また帰ってくる。どこに出かけようと、家に戻ればいい。

何かを考えている時、この問題を解こうと思って考えているわけではない。何かのテーマで原稿を書き始めても、思いがけないところに考えは進む。散歩と違って家に戻ってくる必要もない。

考える時には徘徊することこそが面白い。思考の過程、徘徊を書き留めた文章を読む。著者の考えをたどりながらの読書は楽しい。

読みやすくするためには、最初に結論を書けばいいと勧める人は多いが、最初に結論が書いてあるような本は読みたくない。そんな本であれば速読ができるのかもしれないが、考えの過程を書き留めた本は、速読することはできない。情報を収集するのが読書だと思っている人は速読しようと思うのだろうが、考えを追うのには時間がかかるので、ゆっくりにしか読めない。

プラトンの対話篇の多くは、何かについての定義を求めるために対話が進むのに、最後は何も知らないことの確認に終わる。それでは、それまでの過程が無意味かというとそうではない。哲学は答えを出すことよりも、そこに至る、多くの場合、答えに至らない過程こそ大事なのである。

本を読んでいるうちに、いつのまにか自分で考え始めている。夜遅くまで原稿を書き、そのままダイニングテーブルの上に本を出しっぱなしにして寝ると、翌朝、家族から注意される。

思考はまとめずに散らかったままにしておいても誰の迷惑にもならない。

数えないで生きる

イタリアの小説家パオロ・ジョルダーノが旧約聖書の『詩篇』にある「われらにおのが日を数えることを教えて、知恵の心を得させてください」という言葉を引き、次のようにいっている（『コロナ時代の僕ら』）。

感染症が流行中は誰もがいろいろなことを数えてばかりいるとジョルダーノは指摘している。たしかに、感染者と回復者や、さらには死者を数え、危機が過ぎ去るまであと何日かなどいつも数えている。数えてみても詮無いことなのに。

「コロナ時代」でなくても、人は何かにつけ数えて生きている。安定した人生を送るためには、どれくらいの年収を得ればいいか。そのためには偏差値がいくらの大学に入ればいいか。後何年生きられるだろうか、貯金はいくらなくてはいけないだろうか、等々。

「詩篇はみんなにそれとは別の数を数えるように勧めているのではないだろうか。われらにおのが日を数えることを教えて、日々を価値あるものにさせてください――あれはそういう祈りなのではないだろうか」

私は、日々を価値あるものにするためには、数えることすら必要ないと考えている。

作家の小田実は病床でホメロスの『イリアス』の翻訳をした。小田がもともと大学でギリシア文学を学んでいたことを知る人は少ないかもしれない。

小田にはもはや完訳する時間は残されてなかった。そこで、第一巻だけが「すばる」に掲載された（二〇〇七年七月号）。小説を書くことを初めとして多彩な活動をする中、晩年までギリシア語の知識を維持することがどれほど大変なことかは私にはよくわかる。

何よりも小田が病床でこの訳行に取り組んだことに驚く。「学者の訳ではなく、文学者の訳にも意味があると考えるので」と小田はいうが、辞書を引き、たくさんある注釈書を参照しなければ一行たりとも訳せない。健康な状態でも強いストレスがかかる仕事なのに、病床で訳そうとしたことに私は驚く。小田は最後にこう記している。

「私は今病床に伏している。手術不能の末期ガンなので、英語で言うなら、《His days are numbered》の状態にいる。これが最後の病臥《びょうが》だ」

「では、みなさん、ごきげんよう」

小田は自分の身体の具合を自分でよくわかっていたので、人生の残りの日を数えたのだが、もしも翻訳ではなく創作をしていたら、違っていたかもしれない。翻訳というのは最初からゴールが見えている。どれほど頑張っても一日に翻訳できる分量には限りがある。後自分はどれくらい生きられるかを予想し、そうすると、翻訳を完成するためには一日何ページ訳さなければならないかどうしても数えてしまうだろう。

しかし、翻訳ではなく創作であっても、事情は同じだともいえる。ゴールが見えない分だけ、時間が限られている場合であればプレッシャーは大きくなる。一体いつこの仕事は完成できるだろうかと考えてしまう。

サマーセット・モームは、次のようにいっている。あまりに時間がかかるというので若い時は避けるような仕事にも、老年になると造作なく取りかかれるものである、と(Sommerset Maugham, *Summing Up*)。これは普通に考えられていることと反対である。老人は人生に限りがあると考えて、大きな仕事に着手しようとしない。他方、若い人は自分の前に長い人生があるので、大きな仕事でも手がけると考えられるが、実際には、老人と違って若い人の方が時間が十分あっても、人生に限りがあることを、直面する仕事に取り組むことを回避するための理由にする。

なぜそうなるのか。若い人は数えるからだ。老人は残りの人生が短いことを当然のこととして受け止めているので、数えないのである。手がけた仕事が完成しなくても、それも想定内である。そのことで誰からも責められることはないだろう。若い人であればそうはいかない。時間はあったのになぜ途中で仕事を投げ出すのかといわれかねない。

小さな子どもも数えない。誕生日やクリスマスまで後何日かを指折り数えるということはあるが、絵を描いている時は無心であり、自転車に乗れるようになるまでに何日かかるかというようなことは数えない。やがて、そんな子どもも数え始める。学校での生活は将来の準備のためのものになる。

はたして、数えないで生きられるものなのか。

キューブラー・ロスは、死の淵から脱して寛解期《かんかい》に入った患者は、残りの時間がないと思っていた方が幸福だったといっていると報告している（『ライフ・レッスン』）。幸福というのは言い過ぎだと思うが、死の床で後何日生きられるかを数える。その計算通り、愛する家族や友人に囲まれて安らかに息を引き取るはずだったのに、そんなふうには死ねなかった時、困惑してしまう人はいるかもしれない。

人は物語が終わると消えてしまう映画やドラマの中の人物ではない。人生を数えてみても、自分の思う通りにはならないのである。予想していた日に死ななかったからといって絶望する人はいないだろう。その後は数えるのをやめるだろう。

ドストエフスキーの『白痴』のなかで、ムイシュキン侯爵が死刑囚のエピソードを語る場面がある。この死刑囚は、刑の執行の直前に特赦で罪を一等減じられ、最終的には死刑を免れることになるのだが、銃殺刑を宣告されてからの二十分間は、確実に死ぬと信じて疑わなかった。

まだ死刑の執行は一週間は先だろうと思っていたところ、ある朝早く、まだ眠っている時に看守に起こされた。九時に刑の執行だと告げられて、こんなに突然ではまいるではないかと思った。

この死刑囚はついに後生きていられる時間が五分ばかりであることがわかった時、この五分間が果てしもなく長い時間で莫大な財産のような気がした。そこで、この時間を次のように割り振ることにした。

まず、友だちとの別れに二分、最後にもう一度自分自身のことを考えるために二分、そして残りの時間はこの世の名残にあたりの風景を眺めるために当てることにした。教会の銀色の屋根の頂が明るい光にキラキラと輝いているのを男は執拗に見た。

この男によれば、いよいよ自分が死ぬことになった時、もっとも苦しかったのは絶え間なく頭に浮かんでくる次のような考えだったという。

「もし死なないとしたらどうだろう！　もし命をとりとめたらどうだろう！　それはなんという無限だろう！　しかも、その無限の時間がすっかり自分のものになるんだ！　そうなったら、おれは一分一分をまるで百年のように大事にして、その一分一分をいちいち計算して、もう何一つ失わないようにする。いや、どんな物だってむだに費やしやしないだろうに！」

この男の死刑執行前の五分、もしも死刑を免れたとしたらその後の人生を男は「一分一分をいちいち計算して」生きるという。

その後、死刑を免れた男はどうなったのか。その後、無限の時間を与えられてどうなったのか。いちいち計算することなどなく実に多くの時間を浪費してしまったというのである。この男の言葉に妙にリアリティがある。そんなふうにいちいち計算することなく生きられることが幸福なのだ。

三木清は成功は量的だが、幸福は質的であるという。成功を求めてやまない人は何かにつけ不断に数えるだろう。質的な幸福は数えることはできない。

競争から降りる

数えるのは効率的に生きるために必要かもしれないが、急いで生きてみてもあまり意味はない。さらに問題は、数える人が人と競争することである。私が高校生の頃は、偏差値という言葉すら聞いたことがなかったが（ただ、私が知らなかっただけなのだろうが）、大学生になって家庭教師のアルバイトをしていた時、生徒の父親が受験情報誌を片手に偏差値を引き合いにして子どもの進路を決めるという話を聞いて驚いたことがある。

大学で何を勉強したいかではなく、偏差値でどの大学に行くかを決め、その上、親が子どもの進路を決めようとすることがおかしい。幸い、私が教えていた生徒は賢明で、親に「私の人生だから私に決めさせてほしい」といったと聞いて安堵した。

幼い子どもが立ち上がり、歩こうとする。アドラーはこれを「優越性の追求」といっている。

問題は、親が子どもが何ヶ月で立ち上がるかを気にかけ、他の子どもと比べることである。言葉の発達も人と比べるようなことではない。四歳まで一言も言葉を発しなかったという友人がいる。親はさぞかし心配だったであろうと思ったが、心配しなかったという。そんな親は多くはないだろう。

子どもたちを保育園に送り迎えしていた時のことだが、ある日、教室の黒板に子どもたちの体重が書いてあった。聞けば体重を競わせているという。発達には個人差があるのでこれがおかしいのは誰にもわかると思うが、親は自分の子どもが他の子どもの体重を知れば負けてはいけないと食べさせるようになると思ったかもしれない。

成績を競わせるのもこれと同じくらいおかしい。早く学ぶ子どももいれば、ゆっくり学ぶ子どももいるというだけである。そこに優劣はないはずだが、時間を測って試験を受けさせ成績によって振り分ける今の教育においては競争が当然のことだと考えられている。

アドラーの弟子であるリディア・ジッハーは「競争はありふれたことではあるが正常ではない」といっている。ジッハーはアドラーのいう優越性の追求は「梯子《はしご》を下から上に昇っていく」というイメージがつきまとうという。梯子は狭いので、上に昇るためには、既に上にいる人を引き摺《ず》り下ろさなければならない。

そこで、ジッハーは、優越性の追求を「上下」ではなく「前後」で説明しようとする。同じ平面上を前を歩く人もいれば、後ろの方を歩く人もいるというように。これなら、競争はイメージされないとジッハーは考えるが、前にいることが優れていると見なす人はいるだろう。

心筋梗塞で入院した時、すぐにリハビリを始めた。病棟と病棟をつなぐ長い渡り廊下をとぼとぼと私は歩くのだが、皆私を後ろから追い抜いていった。速く歩きたいと思っても、足が動かなかった。前のように歩けるように懸命の努力をしたが、人との競争に勝つためではなかった。

勉強も人と競争するとたちまちつまらなくなる。勉強は知らないことを学ぶことなので、本来楽しいことであるはずなのに、制限時間内に問題を解くテクニックを身につけるためには、時間をかけてじっくり考えないので学ぶ喜びがどこかにいってしまう。

作家の龍應台は次のようにいっている。

「私たちが必死になって学んだのは、百メートル競争をどう勝つかであった。転んだらどうするかなんて、誰も教えてくれなかった」(『父を見送る』)

競争社会は敗者のことを考えない。勉強や仕事では結果が出る。結果を出せなければ意味がないと考える人は多い。結果を出せなかった時、競争して勝てなかった時にどうするかを誰からも教えられなかったというのはたしかに龍がいう通りである。

どうすればいいのか。ただ、競争から降りればいいだけである。競争する人は成功したい。しかし、成功などしなくていい。

若い頃は大学で教えたいと思っていたので、論文を書くなど研究に余念がなかったが、母が脳梗塞で倒れ、私が母の付き添いをしなければならないことになって大学に行かなくなった頃から、哲学の研究をすることにあまり意味があるとは思えなくなった。若気の至りというものだが、その後は好きなことしかしないで生きてきた。後悔はない。

無駄な学びはない

歳を重ねるといろいろなことができなくなるが、身体的なことだけでなく、物覚えが悪くなるといわれる。私自身は一度もそんなふうに思ったことがない。

学び方の姿勢とか何をどう学ぶかが、若い時とは違ってきただろう。実際には、若い時のような記憶力はもはやないのかもしれないが、たとえそうだったとしても、若い時に戻れるわけはないのだから、今の自分と新しい関係を築いていくしかない。

若い頃と今との大きな違いは、競争しなくなったことである。何かを学んでも、それを、評価されることはなくなった。近年では韓国語の勉強をしているが、検定試験などを受けようとは思っていない。ただ毎日好きな作家の小説やエッセイを読むだけである。

競争とは無縁に学ぶことは、若い人にはできないことかもしれない。学んだことは必ず評価される。勉強しても、大学入試に受からなければ意味がない。そう考える人にとっては、本来、知らないことを知ることは喜びであるはずだが、試験に合格したり資格を取るために学ぶことが苦痛になる。他者との競争になるからである。

しかし、試験のための勉強であっても、競争であることを意識しなければ、知らないことを学ぶことが喜びになるし、たとえ試験に受からなかったからといって、学んだことが無駄になるわけではない。

私は高校の看護科や大学の看護学部で長く教えていたが、看護師になることを目指して勉強していた生徒が数年経つと学校を辞めたいと言い出すことがたびたびあった。

私は週に一度非常勤講師として教えに行っていただけなので、生徒の親と会うことはなかったが、担任の教師からはよく相談を受けた。私はいつも一度人生の進路を決めたからといって、変えていけない理由はないと答えていた。

教師が生徒の人生のことを本当に考えていたのかどうかは疑わしいと思ったこともあった。学校にとっては国家試験の合格率が重要である。学校の評価になるからである。合格率が百パーセントと学校案内に書いてあれば、受験生の親は子どもをこの学校に行かせようかと思うかもしれない。もちろん、本人がこの学校で看護師になるための勉強をしようと思うだろう。

退学を決心する生徒の中には勉強が難しくなり、成績が振るわなくなった生徒もいたが、このような学校側の事情があるとすれば、優秀な生徒が突然退学すると言い出すのは困るのだろうと思った。

もちろん、このような学校側の事情とは関係なく、熱心な教師であれば自分が教えていた生徒が学校をやめると言い出した時、それならやめた方がいいとはいわないだろう。

教師は、今やめてしまうと、これまで学んできたことが無駄になるとか、今から新しいことを学ぶのは大変だというようなことをいうかもしれない。担任の教師に私はいった。

「でも、あなたも看護師を辞めて教員になったのではないのですか」

看護学校や看護大学の教員には長年医療現場で働いていた看護師が多い。

「私の場合は、看護師として臨床で働いていた時の知識と経験を教えているのですから、無駄にはなっていません」

医療現場で働くということと教育現場で働くというのはまったく違う。医療現場で知識を身につけることと、それを教えるのとは別のことである。日本語が母語だからといって、誰でも日本語を教えられるわけではないのと同じである。

「学校をやめようとしている生徒は、これまで学んできた知識をこれからの人生に活かせないのですか」

　私がそのように問うた時に念頭にあったのは、次のようなことである。医師になる時も看護師になる時も、多くのことを覚えなければならない。国家試験では医学知識が問われる。学校をやめれば、国家試験のために覚えた知識は役に立たないかもしれないが、教師はそのような知識だけを教えていたわけではないだろう。臨床で働いていた経験を生徒や学生に教えるであろうし、その話に熱心に耳を傾けるだろう。

　教師が看護師として臨床で働いていた時に学んだのは、医学知識だけではなかったはずである。患者とどうすればよい関係が築けるかということであったり、死を前にして人がどのようにそれを受け入れるかというようなことである。そのような話を教師が授業でしていたとすれば、その話から生徒が学んだことは、看護師にならずに社会人として、あるいは親として生きていく時に大事なことである。

　学生の側の問題はたしかにある。教員が臨床で学んだ人生における大事なことを学生に教えたとしても、国家試験のための勉強にしか関心がない学生がいるのである。

　私は大学の看護学部で生命倫理を教えていたことがある。日進月歩の医学の世界では、ついこの間までできなかったことができるようになる。臓器移植ももっと広く行われるようになるだろう。しかし、できるからといってしていいとは限らない。例えば、そのようなことを生命倫理は扱うのである。

私は講義では医療者がどうすれば患者とよい対人関係を築けるかを教えた。ところが、このようなことについて、大学に入ったばかりで臨床経験のない学生はあまり関心がないようだった。私の目の前で国家試験の過去問題集を問いている学生もいた。

一年生から国家試験のためだけに勉強すれば、試験に合格し、看護師になれるだろうが、国家試験には関係がないと判断した知識はすべて遮断することになるだろう。試験には関係がないと判断したことが試験に出るかもしれない。その場合は、ただその学生が試験に合格せず看護師になれないだけだが、講義を聞かなかったために知らなかったことが患者を殺すことになるかもしれないとは思ってもいないのだろう。

看護学校の生徒が学校で学んだことが国家試験に合格するために必要な知識だけでないなら、進路を変えても学んだことがすべて無駄になるわけではないはずである。

何かを学ぶ時にただ知識だけを学ぶのではない。学びを通して多くのことを学ぶことができる。もちろん、それまで知らなかったことを学ぶことが生きる喜びになる。そのように思えるとしたら、競争とは無縁になっているはずである。

虚栄心から自由になる

　子どもを三人とも東大に合格させた親のことが時折話題になる。自分も子どもを東大に入らせたいと思う親が、一体どんな教育を子どもにすべきかに関心を持つのだろう。同じように子どもを教育したからといって、自分の子どもがいい成績を取れるかはわからないが、子どもが東大生になる日を夢見て頑張ろうと思う親がいるのだろう。

　一体、誰が頑張るのか。親が？　大学に進学すること自体が問題だとは思わないが、大学に入るのは子どもであって、親ではない。親が子どもを東大に入れるという発想が私には理解できない。

　アドラーは次のようにいっている。

「今日、家庭教育において主役を演じているのは、様々な程度の悪化している家庭エゴイズムである。これは自分の子どもがたとえ他の子どもを犠牲にしても、とりわけ庇護され、何か特別なものと見なされることを一見正当に要求する。そこで、まさに家庭教育は、子どもたちに、他者に対して常に優越しなければならず自分を優秀な者と見なすような考えをいわば植えつけることによって、もっとも重大な誤りを犯しているのである」（『性格の心理学』）

親が自分の子どもが優秀であることを期待すると、その期待に応えようとする子どもも、たとえ他の子どもを犠牲にしてでも、自分が特別で優秀であると思われることを当然だと思うようになる。アドラーはこれを「優越性の追求」といっている。

アドラーは次のようにもいっている。

「今日の家庭における教育が、力の追求、虚栄心の発達を並外れて促進していることは疑いない」（前掲書）

ここで「虚栄心」という言葉をアドラーが使っていることが唐突に思えるかもしれないが、アドラーは「虚栄心においては、あの上に向かう線が見て取れる」（前掲書）といっている。「あの上に向かう線」とは「優越性の追求」である。自分がより優れた者になる努力をすること自体には問題はない。勉強すれば前よりもいい成績が取れるようになる。しかし、そのことと他の人と競争して勝とうとすることは別問題である。他者と競争して勝とうと思うところに虚栄心が現れる。

教育が「虚栄心の発達を促進する」といわれていることに注目したい。まず、子どもについていえば、親に認められるために勉強するようになると虚栄心が発達する。勉強するかしないかは子どもが自分で決めることである。親が子どもに勉強させることはできない。子どもに勉強してほしい、よい成績を取ってほしい、有名大学に進学してほしいと思うのは親の課題である。しかし、親はその親の課題を子どもに解決させることはできない。親は子どもに「私はあなたにいい大学に入ってほしいので、勉強してほしい」とはいえないということである。子どもはそのような親の期待を満たすために勉強する必要はない。

「認められようとする努力が優勢となるや否や、精神生活の中で緊張が高まる」（前掲書）

親に認められたいと思った子どもは緊張する。親の期待通りに優秀であることができれば、本当に小さい子どもにもいばり散らすことが見られるとアドラーはいっているが、このような子どもが大人になれば職場でパワハラをするかもしれないということについては先にも見た。

「そして、大人になったずっと後でも時に家庭状況を無意識に想起して全人類をあたかも

今もなお家族であるかのように扱ったり、あるいはそのような態度を取る」（前掲書）

親が子どもに優秀であってほしいと願う家庭においては、子どもはいわば王様であり、勉強している限りどんな特権も認められる。そのような形で皆から支えられるような態度で接しられてきた子どもは、大人になった時、まわりの人は自分の期待を満たして当然と考えるようになるということである。

「この緊張は、人が力と優越性の目標をはっきりと見据え、その目標に、活動を強めて、近づくように作用する。そのような人生は大きな勝利を期待するようになる」（前掲書）

問題は「勝利」できない時である。親の期待を満たさない子どもは親から見放される。積極的な子どもであれば、親に公然と反抗するかもしれないが、そうでない子どもは「自分を好まなくなった世界から退却し、孤立した生活を送る傾向を示すことが見られる」（前掲書）とアドラーは指摘している。

対人関係は本来わずらわしいものなので、アドラーが「あらゆる悩みは対人関係の悩みである」というように、できるものならその中で傷つきたくないと思った人が対人関係を避けようとするのは、ある意味当然である。

しかし、今の場合は、他の人が自分の期待を満たしてくれないからと対人関係から距離を取ろうとしている。

　生きる喜びも幸福も対人関係の中でしか得ることはできない。だから、もしも親の期待を満たせないと思った子どもが対人関係の中に入って行こうとしなくなれば、子どもは幸福になることはできない。その意味で、親が子どもに優秀であると願うことは子どもを幸福にしないことになる。

　もちろん、親の期待とは関係なく勉強するという子どももはいるだろう。しかし、そのような子どもも親でなくても、あるいは、親を含めて多くの人に自分が優秀であることを認められたいと思い、競争に勝とうとするが、他者と競争して勝つためにする勉強は不毛である。

　次に、親の虚栄心も問題である。

　三木清は、教育熱心も方向を誤るとよくないということを『現代の記録』の中で書いている。

「有閑の婦人が教育に熱心であるのは結構なことであるが、熱心も方向を誤ると却って害悪を生ずるのである。東京の小学校の如きにおいては彼女等が毎日のように学校へ押し掛ける。しかし彼女等の脳裡にあるのはクラスの全体の子供でなく、自分の子供だけであり、そして特に上級の学校へ入学させることである。彼女等の希望は、自分の子供を一般に『善い』学校へ、或いは有名な学校へ入れて貰うことだ。善い学校へ入れようとすることは一面我が国民の進歩的な性質を現わすものであるが、他面それは実質の問題であるよりも有閑の夫人の虚栄心の問題であることが多い。子供の素質などはあまり考えないのである」(『現代の記録』)

入学試験の苦労から子どもを早く解放させたいというような親の考えがあるのかもしれないが、受験などはその後の人生で経験する苦しみを思えば何ということもない。

ある時、電車に乗っていると、同じ車両にいた母親が幼い娘に「仏壇はなんて数えるか知ってる?」とたずねた。子どもはすかさず「一基、二基」と答えた。幼い子どもにとって仏壇の数え方など日常生活で必要とは思えないので驚いていたところ、次に母親は「じゃ、船は」とたずねた。そこで思い当たったのだが、小学校の入学試験にこうした問題が出るのだろう。

この親子を見て、親の虚栄心のために、親子が今しか経験できない時を過ごすことを犠牲にしてはいないか考えてほしいと私は思った。

哲学者のデモクリトスは「教育は順境の時は飾り、逆境の時は避難所」といっている。

教育はそれを学んだ子どもがやがてエリートとして社会に出た時に身を飾る「飾り」ではない。もちろん、親が誇るようなことではない。日々勉強するのは、今の危機的状況を生き抜くための力を身に着けるためであり、もちろん、自分のためだけに勉強するのではない。

他者を信頼する

『今さら言えない小さな秘密』というフランス映画を観て、私にも誰にもいえない秘密があったことを思い出した。

「あった」と過去形で書いたのは、誰にも明かさないつもりでいた秘密を心の中にしまうのをやめる決心をしたからだが、その決心ができるまでに十年かかった。

私の母は若くして病気で倒れた。父は昼間、会社勤めをしていたので、当時学生だった私が入院した母に付き添うことになった。講義には出ないで、毎日十八時間、母の病床で過ごした。

ところが、それほど長い時間母の病床にいたのに、母の臨終に立ち会うことができなかった。母が息を引き取ったその日も私は病院にはいたのに、席を外していた。容態が急変したという知らせを受けたが、間に合わなかったのである。それほど長い時間一緒にいたのに、なぜその時にいなかったのか、長くはないと聞かされていたので母の最期を見届けるために母の側にいたのではなかったのかと、その後長く悔やむことになった。

父から最期はどんな様子だったかとたずねられた私は、思わず母は穏やかに息を引き取ったと嘘をついてしまった。臨終の時、その場に居合わせなかったとは父にいえなかった。ずっとこのままこの「秘密」を誰にもいわないつもりだったが、打ち明けようと思った。なぜそう思ったのか。

私が嘘をついたのは、母は家族が誰もいない時に亡くなったことを知れば父が悲しむのではないかと考えたからだと思っていたのだが、そうではなかったからである。

本当のことを隠したのは、臨終に居合わせなかったことを父から責められるのではないかと思ったからである。父のことではなく、自分のことしか考えていなかったということである。

母が一人で逝《い》ったからといって、私のせいとはいえないだろうし、父がそのことを知って悲しんだとしても、それは父が自分で何とかしなければならない感情なので、私が父を悲しませないために本当のことを隠すことはなかったのである。父が事実をどう受け止めたかは父も亡くなった今となってはわからないが、少なくとも父が私を責めたりはしなかっただろうと今は思う。

父が私を責めると思ったのは、父を信頼できていなかったからでもある。もしも逆の立場であれば、長い時間母の病床にいたのだから、最期に母の側にいなかったからといって責めるはずはない。

その頃、私と父との関係は良好なものとはいえなかったが、そんな父であっても仲違いしたいとは思わなかった。父からどう思われるかを気にかけていたのである。

本当のことをいっても誰も失うことはないと思えるようになった時に、他者との関係は変わる。他者は隙あらば私を陥れようとする怖い人ではなくなり、必要があれば自分を援助しようとしてくれる仲間になる。そう思えるためには長い時間がかかることもあるが。

先の映画の主人公は自転車店主なのに、自転車に乗れなかった。彼が誰にもそのことを打ち明けることができなかったのは、彼の劣等感のせいだった。自転車に乗れないことは劣等感であり、そのために劣っていると感じる人はいるが、自転車に乗れないからといって劣っているわけではない。

自転車に乗れないことは、その事実を他の人が知って意外だと思う人は多いかもしれないが、誰にも打ち明けることができず、墓場まで持っていかなければならないほどの秘密だとは思わないだろう。それは他の人にとっては「小さな秘密」でしかない。

劣等「感」は本人の主観であり、本人が他の人より劣っていると感じたら、他の人が別に自転車に乗れなくてもいいではないかといっても、容易には受け入れることはできないだろうが、誰もが自転車に乗れないからといって劣等感を持つわけではないことは知ってほしい。

また、たとえ親が自転車に乗るように子どもに働きかけ、子どもが早く自転車に乗ることを期待したとしても、子どもが親の期待に応えなければならない理由はない。人は親といえども、他者の期待を満たすために生きているわけではないからである。親やまわりの大人から早く自転車に乗るようにといわれているのに、いつまでも乗れない時、人から押しつけられる理想と現実とのギャップが劣等感になる。

私の息子は小学生になっても自転車に乗ろうとしなかった。普通、親は早くから自転車に乗ることを勧め、一緒に練習するが、息子が何もいってこないのでそのままにしていた。

自転車に乗れないことを苦にする様子はなかった。ところが、ある日、自転車に乗りたいといった。仲良くしていた友人が転校することになり、その友人と遊ぶためには自転車に乗って彼の家まで行かなければならなくなったのである。

劣等感の問題は二つある。一つは、劣等感がある人は、それさえなければ人生がうまくいくと思っていることである。しかし、実際には、劣等感は人生がうまくいかないことの原因ではない。自転車が乗れるようになったからといって人生が好転するわけではない。アドラーは「見かけの因果律」という言葉を使う。「見かけの因果律」とは、実際には因果関係のないところに因果関係があると見なすことである。

劣等感だけではない。過去に経験したことがトラウマになっているという人は多いが、そういう人にとっては今生きづらいことの原因がその経験である。しかし、自転車に乗れないことが人に隠さなければならないと思うほどの劣等感になる人もいれば、そのことを少しも意に介さない人もいるように、同じことを経験しても、その経験がトラウマにならない人もいる。劣等感も過去の経験も、今自分が直面する問題から逃げるための理由にすることができる。

もう一つの問題は、他者の期待を満たさなければならないと考えることである。しかし、これは多くの場合本人の思い込みであり、実際には例えば自転車に乗れるようになることを親は期待しているかもしれないが、誰もが期待しているわけではないのに、あらゆる人から期待されているかのよう思って自転車に乗れないことに悩むのである。そのように思い悩むことは、実は、自分が世界の中心に生きていると信じているからである。自分が世界の中心に生きていると思っている人は、結局のところ、自分のことにしか関心がない。

劣等感を秘密として抱えた人はどう生きればいいのか。

まず、先に見たように、他者を信頼して打ち明けることが必要である。打ち明けたからといって馬鹿にするような人はいないだろう。たとえ、そんな人がいるとしても、その人と付き合わなければいいだけである。

次に、劣等感を何らかの仕方で建設的なものに昇華したい。劣等感は秘密にするようなものではない。できないこと、不得意なことがあっても、自分に与えられたものをどう使うかが問題である。

小さい時から音楽家になることを志していた私の友人の多くは自転車には乗らなかった。ピアノを弾くためには指に怪我をしてはいけないからだという説明に納得した。本当は運動が得意でなかったのかもしれない。運動が得意でなかった私も自転車には乗れるので、自転車に乗れないことと運動神経は関係がないだろうが、運動は得意ではないと思った人が好きな音楽に打ち込むことはあるだろう。

そう考えて自分が好きなことに打ち込める人は、劣等感から自由になれる。この映画の主人公は自転車に乗れなかったが自転車の修理が得意だった。

私の息子は自転車に乗れるようになったが、もしも友人が転校していなかったら、息子は自転車に乗ろうとしなかったかもしれないし、自転車に乗る練習はせず、そのため自転車に乗れなかったとしても劣等感を持つこともなかっただろう。

他者からの期待に合わせるために生きる人は、自分の人生を生きられない。

何かができてもできなくても、人間の価値はそのことには関係がない。何が与えられているかではなく、与えられたものをどう使うかなのだ。

火曜日も最悪だ

月曜日はいつも憂うつだった。「さあ、やっと休みが終わった、今日からまた仕事をするぞ」と意気揚々と元気ハツラツで職場に向かうことは一度もなかった。常勤の仕事に就くまでは経済的には苦労したが、時間を自由に使えた時はこんな気分になったことはなかった。

どんな気分も何かの原因があって、その結果として引き起こされるわけではない。月曜日出勤する時、たしかに多くの人は憂うつかもしれないが、誰もがそうだとは限らない。

トム・ジョーンズの短編小説集に収められた一編の中に、「ストーミー・マンデー」の歌詞が引用されている。

They call it stormy Monday, but, Tuesday's just as bad.

これを村上春樹は、

「月曜日は最悪だとみんなは言うけれど、
火曜日だって負けずにひどい」

と訳している（『月曜日は最悪だとみんなは言うけれど』）。

月曜日に憂うつな人はそのことの理由をいろいろとあげるだろうが、月曜だから憂うつになるわけではないということである。火曜日になったからといって仕事の中身が変わるわけではない。

私は不機嫌な息子を見たことが一度もない。いつか息子にこんなことをたずねたことがあった。

「君は気分が変わらないね」

そうでもないというような答えを少し予想していたが、「たしかに」と即答が返ってきた。

どんな気分も自分が作り出しているのである。上機嫌であるのも、気分が重く憂うつであるのも。

寝入りばなを叩き起こされても、月曜の朝に出勤する時であろうと、気分を自分で選べるのであれば、わざわざ不機嫌を選ばなくてもいいだろう。

アドラーが「気分屋」について次のようにいっている。

「人生とその課題への態度があまりに気分に依存しているような人に関しても、心理学がそれを生得的な現象であると考えていれば間違っている。それらはすべて、あまりに野心のある、それゆえ、敏感な性質の人に属していて、人生に満足できない時には、様々な逃げ道を探しているのである。そのような人の敏感さは、前に突き出された触覚のようなものであり、あらかじめ態度を決める前に、それを使って人間の生の状況を探るのである」
（『性格の心理学』）

いつも不機嫌である人はいないだろう。上機嫌な時もあれば不機嫌な時もある。何のために気分が変わるのかが問題である。「人生とその課題」に関わる時に、必要に応じて気分を変えるのである。そのような人は「人生に満足できない時には、様々な逃げ道を探している」が、気分を理由にして人生やその課題から逃げようとする。

最初から課題から逃げようと決めているわけではない。不安な人のように人生の課題を前に「ためらいの態度」を取るのだが、気分屋は不安な人よりも積極的である。「触覚」は前に突き出されている。その触覚で状況を探り、課題に向かうかどうかを瞬時に判断する。前へは進めないとなると、あるいは進まないと決めると、たちまち不機嫌になるのである。

気分が安定しない人は上機嫌な時はいいのだが、不機嫌になると、まわりにいる人は腫れ物のように接しなければならない。もちろん、それを狙って不機嫌になるのであるが、このように気分が落ち込み憂うつになると、それを課題に取り組まない理由にできる。

本来、私は会社を休むような人間ではない、でもこんなに気分が優れないのであれば、出勤は無理である。そう自分に言い聞かせ、出勤しない決心を後押しするために憂うつな気分が必要なのである。

憂うつな気分を抱えたまま満員電車に揺られて出勤する人はなぜ出勤するのか。こんなに憂うつなのに会社に行く自分はスゴイと思いたいのかもしれないし、会社は休めないけれど憂うつな気分を作り出すことで本当は行きたくはないと自分に訴えているのかもしれない。どちらも屈折している。もっとシンプルに生きてもいいのではないか。

会社に行かないと決めたのなら、憂うつな気分を作り出さなくてもただ休めばいい。もちろん出社しなければ、そのことで上司の覚えはよくはならないだろうし、自分しかできない仕事は出社してもそのまま残っているだろう。これが会社を休むことに伴う責任である。その責任は会社を休む以上自分で引き受けるしかない。

憂うつな気分は自分で作り出しているとはいえ、そのような気分になってまで仕事をするのがいいのか、どうすれば仕事を楽しめるのかという問題はあるが、会社に行くのなら通勤途上は会社のことを放念すればいい。

休みの日も仕事のことを忘れて楽しむ。通勤の時も仕事のことは忘れる。会社に着いたら憂うつになればいいが、ならなくてもいい。出社してみたら思っていたほど仕事が嫌ではないことはある。毎日が同じことの繰り返しであるとは限らない。

先に、「ストーミー・マンデー」の、

They call it stormy Monday, but, Tuesday's just as bad.

を村上春樹が、

「月曜日は最悪だとみんなは言うけれど、

火曜日だって負けずにひどい」

と訳していることを見た。原文では最悪はstormyである。嵐がきそう。でも、嵐は「最悪」ではない。今日はどんな嵐が待ち受けているのか。ワクワク待ち受ける、それどころか待たないで嵐の中に飛び込んでみることもできる。

三木清がこんなことをいっている。

「機嫌がよいこと、丁寧なこと、親切なこと、寛大なこと、等々、幸福はつねに外に現われる。歌わぬ詩人というものは真の詩人でない如く、単に内面的であるというような幸福は真の幸福ではないであろう。幸福は表現的なものである。鳥の歌うが如くおのずから外に現われて他の人を幸福にするものが真の幸福である」（『人生論ノート』）

機嫌がよければ他の人を幸福にすることができる。機嫌が悪ければ他の人を不幸にできる。どちらを選ぶかは自分で決められる。

現実を直視する

私が父の介護を始めたのは、私が手術を受け、まだ以前のように仕事ができず、週に二日だけ非常勤講師をしていた頃だった。

幸いバイパス手術は成功した。手術の時、輸血をしなかった。ベテランの執刀医は出血を最小に止めた。術後三日目にベッドから降りて歩くことを許可されたが、輸血しなかったので貧血がひどく足元がふらつき、思うように歩けなかった。それでも、誰よりも早く退院できた。

父が何度目かに入院したのは冬だった。寒い日は私の身体が悲鳴を上げた。父のところに毎日通うのも、年末年始に関係なく病院に行くのも大変だったが、人生の巡り合わせで私が父の介護ができたことはありがたいことだった。

ある日、父を見舞っての帰り、いつものようにエレベーターに乗った。エレベーターが止まったので降りようとしたら、まだ三階だった。

パジャマにカーディガンを羽織った高齢の女性が乗ってこられた。常は人に話しかけたりはしないのだが、その時は「入院されているのですか」とたずねた。

「今日、入院したの。二年前に胃癌の手術をしたけど、ちっちゃいかわいいのが残っててね」

手術に必要なものを買いに病院の中にある売店に行くところだという。胃癌と聞くとそれだけで私なら動揺してしまうだろうが、悠々とされていることに驚いた。検査で「ちっちゃいかわいいの」が見つかったのだろうが、身体からの呼びかけに耳を傾けられる人なのだろうと思った。

私はといえば、体調が悪かったのに受診しようとしなかった。受診して怖い病名を告知されたくなかったのである。駅まで歩いて行くのに倍の時間がかかるようになった。何か異常が起こっているのは明らかだったが、私は身体からの呼びかけに応えようとしなかった。運動不足で筋力が衰えてしまったのだろうと無害な属性付与をして、自分の身体に起こっている異変を理解しようとしたが、私の理解（comprendre）を超えていた。心臓の病気だとはまったく考えていなかったのである。異常が起こった時には冠動脈が狭窄していた。心筋梗塞は、冠動脈が完全に閉塞することである。

ふと誰かの視線を感じて目を上げたら自分を見つめる人がいたという場合、相手が先にこちらを見ていたから目が合うのである。同様に、身体の呼びかけに応えることができても、それは必ず遅れる。病気になったことに気づくのは本質的に遅れるのである。

しかし、できるものなら身体からの呼びかけに早く気づきたいし、気づいた時には早く手を打ちたい。それができるためには、日頃どんなに健康でも病気になりうるということを知っていなければならない。身体の声に耳を傾ける用意をしていれば、何かあった時早く気づけるだろう。

病気になった自分の身体と闘う必要はない。病気は自分にとって属性化ができない他者ではあるが、敵ではない。幸い一命を取り留めることができたので、リハビリもすぐに始まった。

リハビリは、ただ機能の回復訓練を意味しない。リハビリという言葉の元のラテン語rehabilitareの意味は、元へ戻すというよりは、再び（re）能力を与える（habitare）ということである。だから、回復が困難な時でも病後、リハビリをする。

リハビリがただ機能回復のためだけにするのであれば、その見込みがなければリハビリを打ち切られることになってしまう。しかし、たとえ目に見える形で機能を回復することが困難であっても、リハビリをやめていいことにはならない。「再び」ではなく「新たに」身体との関係の中に入るのである。

脳梗塞で倒れた免疫学者多田富雄は、ある日突然ひらめいたことがあったという（『寡黙なる巨人』）。手足の麻痺《まひ》は脳神経細胞の死によるものだから、決して元には戻らない。もしも機能が回復するとしたら、神経が元通りに回復したのではなく、新たに創出されるのである。そのことを多田は、もう一人の自分、新しい自分が生まれてきたのだという。今は弱々しく鈍重だが、無限の可能性を秘めた新しい人は多田の中で胎動していた。それは縛られたまま沈黙している巨人だった。新しい人が現れる。元の自分は回復しないが、新しい生命が身体のあちこちで生まれつつあることを多田は楽しんだ。

これはただ新しい神経が作り出されるという意味だけではないだろう。病気になる前の健康な身体を取り戻すことはできなくても、身体との新しい関係を築くことはできる。健康だった時には自分の身体をまったく意識していなかったかもしれない。しかし、病気になると、身体が人を支配する。不断の苦痛があると、意識が身体から離れなくなる。

回復した時の身体との新しい関係は、このどちらでもない。身体が完全に回復していなくても（将来的に回復は望めなくても）、私と身体に支配されて緊張関係にあるのではなく、私が主体的に身体とどう関われるか、病気であってもどう生きるかを決められる状態である。

同じことは老いについてもいえる。若い時のように自在に何でもできるというわけにいかなくなる。元には戻らない。しかし、身体と新しい関係に入ることができる。病気も老いも、いずれの場合も元の自分に戻ってはいけないのである。

変わるのは自分の身体との関係だけではない。他者との関係も変わる。

中学生の時、交通事故で入院したことがある。その時、母が付き添ってくれた。母とどんな話をしたかは覚えていない。夜中に空高く飛ぶ飛行機の音が聞こえた。私は中学生だったので、母が夜もずっと付き添ってくれたとは考えられないのだが、あの頃は家族は必ず付き添わないといけなかったかもしれない。子どもの頃、夜中に目覚めた時に近くに母がいることを確認して再び眠りに就いた時のような安心感があった。

退院後、学校に通い始めた時、帰り道、鞄を持って帰ってくれた同級生がいた。ところが、と彼はいう、四日目にすっかり忘れてしまって迷惑をかけたと。半世紀以上の歳月を経てこの話を聞かされた時、たしかにそういうことがあったと記憶が蘇った。

心筋梗塞で入院中、人間の価値について深く考えた。病気のために何もできなくても、生きていることで貢献できることを知った。とりわけ、父のことを思い出す。父は私が病気で倒れる前、よく電話をかけてきた。いつも身体の不調を訴え、声は力なく弱々しかった。

ところが、私が病気になってからは、父は自分の病気を忘れたかのように元気になった。子どもが病気になったら親は自分がしっかりしなければならないと思う気持ちは、私もよくわかる。私はただ父に心配をかけただけではなかったのである。父の生きる意欲を掻き立てたともいえる。

やがて、私は自分の病気のことに注意が向いてしまい、父のことをあまり考えないようになってしまった。父もあまり電話をかけてこなくなったが、私の病気のことを考えて電話をかけるのを遠慮したのかもしれない。そうこうする間に父の認知症が進行していた。そのことに気づいたのは、私が冠動脈バイパス手術を受けて二年ほど経ってからのことだった。離れて暮らしていたとはいえ、もっと早く気づくべきだったと内心忸怩《じくじ》たる思いだったが、巡り合わせで介護をするために父の近くにいられたのは私にとってはありがたいことだった。

父の介護といっても、やがて食事をする時以外は眠ってばかりいるようになった。

ある日、私は父にこういった。

「一日、寝ているのだったらこなくてもいいね」

父はこう答えた。

「そんなことはない。お前がいてくれるから私は安心して眠れるのだ」

何もできなくても、ただ自分が生きていることに価値があることを教えてくれたのは父だった。

第三章

過去のつらかった経験を
なかったことにはできないが、
「今」が変われば過去は変わる

――変化する「私」

生きることは変化すること

前に住んでいた家は駅の近くにあった。自宅でもっぱら仕事をする私は、朝早くから出かけることは少なく、仕事で朝出かけることがあると、勤務先の市役所まで早足で歩く人たちとすれ違った。

若い時から毎日同じ時間に市役所に通っているこの人たちの中にも、仕事に格別の喜びを見出すことができず、自宅と役所を往復するだけの毎日でいいのかと今の人生に満足していない人がいるかもしれないと想像したことがある。

自宅から毎日医院に通う医師を市役所に向かって歩く人の中に見かけることがあった。いつも、多くの患者を診察していた。ある時、その医師を二十年ぶりで見かけた。顔を見て驚いた。初老の医師になっていた。もちろん、そういう私も老人になったわけだが。

そのように、毎日が自宅と勤務先とを往復するだけであるはずはない。

このまま歳だけを重ねていくことに不安を感じるという人がいる。しかし、歳「だけ」重ねることもありえない。

新型コロナウイルスの感染のことを予想していた人は誰もいなかっただろう。私の生活も大きく変わった。仕事で人と会うことがなくなり、何日も外に出ないこともある。前は講演をするために国内外を駆け巡っていたのだが。失業したり、会社が倒産したりして生活の変化を経験した人も多い。

自宅と会社を往復するだけ、歳を重ねるだけの生活を不満に思っていた人が、平穏な人生を送れるかどうかはわからない。もしもそのような人生を送れたら、それは僥倖《ぎょうこう》、思いがけない幸運である。

まったく予見できないような大きな出来事が起こらなくても、健康で毎日元気で働いていた人が突然病気になって、先の人生がまったく見えなくなるということはある。

生きることは変化することなのである。同じ場に立ち止まり続けることはできない。

森有正が、パリのノートル・ダム寺院の裏手の公園に植えられたマロニエの若木が成長していく様子を、次のようにエッセイの中で書いている。

「ノートル・ダムの苗木は知らぬ間に数倍に成長している。つい今しがた眺めていたのろのろと遡る伝馬船は、気のつかないうちに上流の視界の彼方に消えてしまう。それは実に深い印象を私に残す。それはまことに見れども飽かぬ眺めである。私の内部の何かがそれに呼応するからである」（森有正『旅の空の下で』）

毎日見ていると目には木の成長は見えないが、不断に成長し、いつの間にか大きくなっていく。セーヌ川を遡る伝馬船も同じだ。

森は「飽かぬ眺め」といっているが、毎日慌ただしく生きている人であれば、自分の内部にゆっくりと変化していくものと呼応するものがないので、ゆっくり動くものには注意が向かないかもしれない。

森はこの見えない変化を「変貌」と呼んでいる。

生活に大きな変化があってもなくても、日々の生活の中にある些細な変化に気づけることは殺伐とした日々の生活を変える。

いつか夕方に電車に乗っていたら、夕日が沈むのが見えた。あまりの美しさに私は息を呑《の》んだが、その時電車に乗っていた人の多くは眠っているかスマートフォンを見ていて、夕日にはまったく気づいていないようだった。

旅先で見る夕日は殊の外美しく見えるが、日々の生活の中で見る夕日も美しい。毎日見られるわけではない。夕日を見ようと思えばその時間に西の空を見ないといけない。これは簡単ではない。その時間に空を眺められるかわからないからだ。家にいても窓から外を見なければならない。当然雨の日は見ることはできない。

母が脳梗塞で入院した時、毎日、母に付き添って長い時間病院で過ごさなければならなかった。父は働いていたので、学生だった私が昼間、夕方に父が勤め帰りに病院にくるまで母の世話をすることになった。深夜、父が帰ると次の日の夕方まで母の側にいた。母を置いて長い時間外に出られなかったので、私自身が入院していたといっていいくらいだった。くる日もくる日も同じことの繰り返しだと思える日が続いた。

ある日、窓の外を見たら、雪が降っていた。病院の中は暖房が効いていたので、いつの間にか季節が巡っていたことに気づいていなかったのだ。

毎日は決して同じではないのに、私が気がつかなかっただけだった。同じことの繰り返しに見えても、世界はゆっくりと、しかし確実に変わっていく。

あまり変化がないような日常の中で変化に気づくのは、自分の中でゆっくり変化していくものが呼応するからである。そうなると、日常生活の中で感じる慌ただしさから解放され、やがて日々が緩慢に進んでいくことに安らぎを感じられるようになるだろう。

母は若く、初めは予後はよかったのですぐに退院できるだろうと思っていたところ、二度目の発作を起こし、その後は肺炎を併発し意識を失ってしまった。それまでは病床の母と話をすることもできたが、意識を失ってからは母と話すことはできなかったので、母のためにこれといってできることがなくなり、病床で本を読んだり、手帖に考えたことや母の病状を書き留めたりして過ごした。

母の病気に目覚ましい変化はなかったが、母の病状は日に日に悪化していることはわかった。もちろん、そのことに気づいていても、昏睡状態から目覚める日がくるかもしれないという希望は捨てることはできなかった。

悪化と書いたが、これとて変化であることは間違いない。ただし、老いと同じで病気になり、少しずつ命の灯火が消えていくという変化を受け入れることは容易ではない。先に見たように、日々の生活に変化のないことを恐れる一方で、変化を恐れることもあるわけである。

このような時はどうすればいいのか。急な変化の中に不変のものを見出すしかない。平日は病院で深夜から翌日の夕方まで母の病床にいた。大学には通えなくなり、研究者仲間に大きな差をつけられたようにも思ったが、学生だったからこそ母の看病ができたことはありがたかった。

　週末は他の家族らに任せて病院から離れた。月曜日の早朝、病室に入るのが怖かった。週末よりもよくなっていることはなかったが、荒かったけれども母の息を聞くと安堵した。

　何が不変のものだったのか。病状ではなく、母こそが何があっても変わることのないものだった。それは何があっても失われることのない母自身である。

どの今にも優劣はない

時間は刻々と変わる。この世にあるものは何一つ変化を免れない。しかし、この変化について価値判断してはいけない。

今その時々の自分がすべてであり、どの自分のあり方にも優劣はない。私は今「ある」私だけであり、今、この私が今とは違う何かに「なる」だろうが、どの自分もその時々で最善である。この善というのも他の時の自分と比べての相対的な善ではなく、絶対的な善である。

後になって、今ならもっと賢明な判断ができたかもしれないと思うことがある。若い時に手掛けた作品について、稚拙だと思って恥ずかしく思うことがある。しかし、その時々で最善を尽くしたのであり、それを後の自分が評価することはできない。

アドラーは「生きることは進化である」という。子どもが成長するのは早い。その変化を進化と見なす人は多いだろう。

精神科医の神谷美恵子は、「生存充実感」は変化を求めることに密接に結びついているといっている。

「育児に追われている若い母親は、幼い生命の示す日々の変化と成長のめざましさに目をみはり、心をうばわれ、それを自分自身の生命の発展として体験して行くから、この上なく大きな生存充実感を味わっている」（『生きがいについて』）

たしかに、子どもの変化と成長は目覚ましい。日々子どもは賢くなっていくのがわかる。そして、子育てがどれほど大変でもその成長を見ることで「生存充実感」を持てるだろう。

しかし、この神谷の言葉で気になるのは、母親は育児に追われ、自分自身は変化も成長もしていないが、子どもが親に代わって変化し成長するのを見ることに満足しているという含みがあるように見えることである。

「子供が大きくなってだんだん手をはなれて行き、ひとり立ちしてしまうと、あとにのこされた母親の生活は単調なものとなり、それが変化への強い欲求をうみだす。ちょうど更年期の生理的動揺とかさなって、時には精神的危機をつくりだすこともあるのはよく観察されることである」（前掲書）

親が子どもの成長を自分自身の生命の発展史として体験することで生の充実感を感じていたのであれば、子どもが自立すれば当然このようなことは起こる。

そこで、親が子どもが自立したことを認めようとしないことがある。とっくに成人した子どもの仕事や結婚のことを心配する。私はそのような親に仕事に就いたり、趣味を極めたりすることを勧めることがある。このような助言も変化がいいことであることを前提にしている。

子どもの成長にのみ目を奪われ、子育ての最中にも親自身が変化していることに気づいていなかったともいえるが、これも変化がよいことであることが前提になっている。

老人についても神谷は次のようにいっている。

「すでに自己の生命の終りに近づいている老人にとって、草花を育てることや、孫の相手をすることが大きなたのしみになるのは、ただの暇つぶしという意味よりもむしろ若い生命のなかにみられる変化と成長が、そのまま自分のものとして感じられるからなのであろう」（前掲書）

時間は流れていく。ヘラクレイトスは「同じ川には二度は入れない」という。昨日、足を浸けた川はもはやない。それでは、私は私ではなくなったのかといえばそうではないだろう。子どもの頃の自分と今の自分は姿形は変わっても同じ自分である。

子どもの成長がどれほど早くても、日に日に別の子どもになるわけではない。大人になれば、成長は緩慢になり、それどころか退化していくように見える。変化はあっても成長ではなくなる。

しかし、どんな変化があっても「私」が変わるわけではない。変わるのは「属性」だけである。いろいろなことができなくなっても、今しがたしたことやいったことを忘れるようになっても、これらは属性であって、性質が属する「私」は変わらない。帽子を脱いだり、外套を脱いでも、「私」は変わらないのである。

小さいけれど、確実な幸福

変化についての思いはなかなか複雑で、一方で、日々の生活に変化がないことを恐れるが、他方、病気などで生活が大きく変化することを恐れることがある。このうち、前者の変化がないことについて、実際には変化がないことはなく、「変貌」ならあることを見た。気づいていないだけである。

子どもの成長は目覚ましいが、大人はそうではないと思う人は多いだろう。谷川俊太郎は「大人の時間」という詩の中で、子どもは一週間経てばその分利口になるのに、大人はもとのままであるといっている。子どもはその間に五十の言葉を覚え、自分を変えることができるのに、大人は同じ週刊誌をひっくり返すだけ。

それどころか大人は成長しない、歳を重ねると老化が進み、できないことが増えていく――。

しかし、こんなふうに考えなくてもいいのではないか。成長も老化も共に変化であるが、子どもの成長は見えるが、大人も変わらないわけではない。ただ、その変化は森有正がいう「変貌」である。

若い頃のように物覚えがよくなくなるといわれるが、これは本当ではない。もしも高校生の頃のような真剣さで学べば、若い頃と同じくらいの力があることに気づくだろう。怠惰であることを年齢のせいにしているだけである。

それに、賢さは知識の多寡とは関係ない。週刊誌ばかり読んでいたとか、スマホばかり見ていたのではなく、読書などを怠らず学び続けてきた人であれば、今の方が若い時よりも賢いと感じている人も多いのではないか。多くの経験もしてきた。もっとも経験があれば老人は賢いはずだが、そうとはいえないのも本当だが。

いろいろなことができなくなったので若返りたいと思う人もいるだろうが、今持っている知識と経験をそのままに若返るのならいいが、すべてがリセットされ、また一からやり直さないといけないとしたら、今のままがいいと私は思う。

なぜ、変化することが、しかも衰えるのではなく成長することが好ましいとされるのかといえば、今のままであってはいけないという思い込みがあるからである。

クリシュナムルティが次のようにいっている。

「君たちは親や先生たちが人生で何かに到達しなければならないよ、おじさんやおじいさんのように成功しなければならないよ、と言うのに気づいたことがないですか。教育の機能は、君たちが子供の時から誰の模倣もせずに、いつのときも君自身でいるように助けることなのです」(『子供達との対話』)

人が人生で到達しなければならない何かとは「成功」である。今のままであっては駄目で、何かに「なる」こと、成功者になることを大人は子どもに要求する。どうして今の自分で「ある」のではいけないのか。

子どもも親を始めとするまわりの大人から成功しなければならないと言われ続けると、それ以外の人生はないと思ってしまう。大人になって成功するかはわからなくても、自分が他の人と同じような人生を送らなければ不安になる。

しかし、人生で必ず成功しなければならないわけではない。他の人と同じような人生を生きなくてもいい。私は人生で成功することを望んだことはないが、いつか常勤の仕事に就くものだと思っていた。私が若い頃望んでいたような仕事ではなかったけれども、四十歳になってようやく常勤の仕事に就くことができた。それまでは毎年四月になると父が電話してきて、今年は仕事が決まったかと執拗にたずねるので辟易《へきえき》していたが、これで父も安心するだろうと思った。

大学に入り、卒業後はどこかの会社に勤めるという人生は、もちろん、それが駄目だというのではないが、皆がそうしているからと、自分も皆と同じような人生を生きなければならないわけではない。

韓国では「소확행」という言葉が流行っていると聞いたことがある。これは「小確幸」という日本語に由来する韓国語で、もともと村上春樹がエッセイの中で使った言葉である。소확행を辞書で引くと、「小さいけれど、確実な幸福」（작지만 확실한 행복）という説明がある。

生存競争の激しい大都市の生活でバーンアウトした韓国の若者たちが、小さいながらも確実な幸福を感じて生きていいのだと思い始めているのである。

私は看護学校や看護大学で教えていた。ある学校では、生徒たちは中学校を卒業してすぐに看護師になるべく入学してきた。看護師になって病気で苦しむ人を助けたいという強い思いがあって入学してきた生徒もいたが、親やまわりの大人から資格を取っておくと後々有利であるといわれて入学してきた生徒も多かった。

その生徒が入学してから数年後、これからどんな人生を歩もうかと自分で考え始める。親に説得されて自分ではあまり強い意志もなく看護師の道を歩み始めたところ、思いがけず看護師が自分に向いているとわかり、中学生の時はあまり勉強しなかったのに、まわりが驚くほど勤勉になったという生徒がいた一方、自分は看護師には向いていないことを自覚する生徒もいた。

退学するというと、親はもちろん担任の教師までもが引き止めた。せっかく今まで勉強してきたのだから、今辞めるともったいないというのである。

何事も始めてみないと自分に向いているかわからない。どうしても看護師として生きなければならない理由はない。看護師にならないからといって生きていけないわけではない。親といえども子どもに翻意を促すことはできない。

親とて子どもの人生に責任を取れるはずはない。あの時、私は本当は看護師になりたくなかったのに、親が退学するのを引き止めたから、今私は不幸だと子どもが親にいったとしたら親はどう責任を取るつもりなのだろうか。子どもの方も親の言いなりになった責任はあるが、親に逆らえない子どももいる。

どんな人生を送ることが子どもにとってよいことなのかは親といえども判断できない。

親が子どもの人生についてよいかどうかという判断をするときの基準は成功である。しかし、そもそも成功することが子どもにとって本当によいことかどうかはわからない。親は子どもが看護師の資格を取れば、安定した人生を送れるだろうと考えたのである。親は子どもを人生の成功者にしたいが、医療現場では親のこのような甘い期待は通用しない。

私は若い人が看護師にはならないでおこうという決心をして進路を変えることも、医療現場で働き始めてから仕事を辞めることがあってもいいと思う。

三木清は、成功は一般的なものであるのに対して、幸福は「各人においてオリジナルなもの」（『人生論ノート』）であるといっている。大学に入って会社に就職するという「一般的な」人生であれば、誰もが理解できるだろうが、幸福は他の人に理解されないことがある。

韓国映画の『リトル・フォレスト』に出てくるヘウォンは、ソウルの大学で学び教員採用試験を受けたが、試験に落ちた。それで、何もかも投げ出して故郷に帰ってきた。

恵まれた自然の中で毎日農作業をし、美味しい料理を作って過ごす日々。彼女は幸福だが、はたしてこのままでいいのかと悩む。

私ならヘウォンにこういうだろう。このままでいいのだ。なぜ「小確幸」を感じて生きてはいけないのか。成功しても幸福でなければ意味がないではないか、と。自然の中で生きることは「〈小〉確幸」ではない。三木は成功は量的だが、幸福は質的だといっている。幸福には大も小もないのである。

なぜ「小確幸」を感じて生きていくことにためらいを感じるのだろうか。

ヘウォンは自然に恵まれた故郷での生活を続けることにためらいを感じる。成功を目指す人生から逃れて故郷に戻ってきたはずなのに、成功することが大事だという価値観になおも囚われているのである。

「小確幸」に必要なことは貢献感である。自分が何らかの仕方で他者に役立てていると感じられることである。そう感じられるためには、今の生活の中で自分が他者に貢献していると感じられなければならない。収穫した農作物は料理すれば自分だけでなく他の人も口にできる。友人と一緒に食べられる。その時、貢献感を持てるのではないか。それは教師になって生徒に教える時に持つ貢献感と何ら変わりはないはずだ。

さらにいえば、何も成し遂げなくても、自分の存在、自分が生きていることが他者に貢献しているのである。大人になるとこんなふうに思うことは難しくなる。

幼い子どもは親からの不断の援助がなければ生きていけない。お腹が空いた時やオムツが汚れて不快な時は泣いたり大きな声を出す。大人はそれを聞いて、子どもが何を求めているかを察し、子どもが必要としているものを与える。

しかし、子どもはただ大人から与えられるだけではない。子どもも与えることができる。何をか。幸福である。子どもが何もしなくても、大人はこの子どもの存在によって癒される。子どもは生きているだけで貢献しているのである。

大人も子どもと同じように生きることで他者に貢献している。それなのに、生きているだけでは貢献しているとはいえないと考える人がいる。高齢のために、また若い人でも病気のために身体を思うように動かせなかったり寝たきりになったりしたら、もはや誰にも貢献できない、それどころか、人に迷惑をかけるばかりで、そんな自分には価値がないと考える人は多い。そのように思うようになったのは、生産性に価値がある、何かを成し遂げることができれば価値があるとする世間の価値観によるが、多くの人がこんなふうに考えているからといって正しいわけではない。

何かをすることでも貢献できるが、生きることでも貢献できるのである。何もできなかった子どもは将来働くことができるので価値があるが、高齢や病気のために働けなくなったら価値がなくなるのではない。子どもも大人も生きていることに価値があるのである。そのように感じられた時、人は幸福であることを実感できる。

幸福に大も小もないことを先に指摘したが、「小確幸」の「確」「確実である」というのは、成功とは違って、まだ何も達成していなくても、あるいはそういうこととは関係なく、生きていればそれだけで「確実に幸福である」（確幸）という意味である。

「仕事なんかどうでもよかったのだ」という最近妻を亡くしたばかりの七十代の男性の言葉を先に引いた。仕事をしなければ生きていけないというのは本当だが、それでも働くために生きているわけではない。呼吸をしなければ生きていけないけれども、呼吸をするために生きているわけではないのと同じである。仕事で成功することを最優先すれば、本当に大切なことが疎《おろそ》かになるのは必至である。

仕事で成功しても、幸福、小確幸を感じられないとすれば、働き方に問題がある。成功すれば幸福になれると考えることにも問題がある。

仕事で「小確幸」が得られないわけではない。しかし、働くために生きていたり、仕事をすることがただお金を得るため、成功するための手段になっていれば「小確幸」は持てない。仕事をしている時に、自分がしていることが他者に貢献していると感じられる時、その貢献感は「小確幸」になる。

私が成功を人生目標にしないこと、成功することでは幸福になれないと考えるようになったのは、実は父の影響かもしれないと思うようになった。父は私が大学院を終えてもいつまでも常勤の仕事に就かないことを理解しなかった。私とて仕事に就きたくなかったわけではないが、哲学の教員の公募などほとんどなかったのである。

私は父が私の成功することを期待していると思っていたのだが、成功とは関係なくただ私のことが心配だったのだと思う。父は学校を終えるとすぐに就職し、その会社を定年まで勤め上げた。しかし、今父の人生を振り返ると、成功することを人生の目標にしていたわけではなかったのがわかる。

私の父はいつも家で夕食をとっていた。父が入った会社の社長が父の叔父だった。父がその叔父から入社した時に「甥《おい》だからといって贔屓《ひいき》したりしない」といわれたという話を何度も聞いたことがある。そのためではないだろうが、父は出世を目指しているようには見えなかった。今になって父の生き方を振り返ると、会社よりも家庭を選んだ父の生き方は立派だったと思う。

父がどんな仕事をしているかも知らなかったし、家で父は仕事の話をしなかったので、父がどんな上司だったのかは私にはわからなかった。きっとよき上司だったのだろう。部下が結婚する時に仲人をしたこともあったし、会社のラグビーチームを率いていたこともあった。若い人たちと一緒の写真を見ると、父を慕う部下に囲まれていることを嬉《うれ》しく思っているのがよくわかる。

母が脳梗塞で倒れた時、学生だった私は母に付き添うために毎日病院で十八時間過ごした。夕方六時になると、父が仕事を終えて病院に駆けつけてくれた。病院は会社から近いわけではなかったので、かなり早い時間に退社したはずである。

それから、私は父と交代して家族用の控室で十二時まで休み、再び父と交代すると父はまた時間をかけて家に帰った。父にとっては家族との暮らしの方が大事だったに違いない。母が入院したので急に生き方を変えたわけではなかったであろう。

そんなことは後になってわかったことであって、父が働いていた頃には私は父の生き方を理解することができなかった。

不可逆的な人生を生きる

私の部屋の書棚に置いてあったふくろうの置物が床に落ちて割れてしまった。書斎に入ってきた孫が手にしていた風船が触れてしまったのだ。

床に落ちたふくろうは真っ二つに割れてしまった。それを見て彼女の顔がこわばった。ふくろうが落ちた時、スローモーションのように落下の軌跡が見えた気がした。孫にもそう見えたかもしれない。

割れたふくろうは幸い大きく破損しなかったので接着剤で補修したが、完全には元に戻らなかった。孫が理解できたかはわからないが、元に戻らないのは割れたふくろうではない。割れる前の「時」に戻れないのである。人生は後戻りできないことを彼女はこれからの人生で知らなければならない。

私が人生は後戻りができないということを実感したのは、中学生の時に交通事故に遭った時のことである。

当時、犬を飼っていたので、毎月『愛犬の友』という雑誌を買って読んでいた。その日も、自転車で書店まで雑誌を買いに出かけた。その帰りに事故に遭ったのである。夏の暑い日だった。猛スピードで車線を越えてきたバイクを私は避けることができなかった。バイクと正面衝突する直前までの記憶はあるが、記憶はそこで途絶えている。今も思い出せない。

意識を取り戻したのは、病院で治療してもらっていた時に、看護師さんの手を押し退《の》けようとしていた時だった。意識を取り戻したと書いたが、バイクとぶつかってから大きな声で泣いていたようだ。

私はバイクに跳ね飛ばされ、顔面を強打した。右手と骨盤を骨折し、全治三ヶ月と診断された。入院中何度も考えたのは、もしもあの日雑誌を買いに行かなければ事故に遭わなかったのにということである。雑誌を買いに行ったとしても、もう少し家を出る時間が前後にずれていたら事故に遭わなかっただろうにとも思った。

こんなことを何度も繰り返し考えてみたけれども、事故に遭ったという事実はもはや取り消すことはできず、事故に遭う前の時に戻ることもできない。

人生が後戻りができない不可逆的なものであることを知るのは、死んだ人とは決して再会できないことを知った時である。

ようやく歩き始めたばかりの幼い一人息子を亡くし、悲しみに打ちひしがれていたキサーゴータミーという母親に、釈尊は、一度も葬式を出したことがない家から白い芥子《からし》の実をもらってくるようにといった。どの家を訪ねても葬式を出していない家はなかった。このことを知ってようやく母親は子どもの死を受け入れることができた。

死を受け入れるというのは、時間が不可逆的であることを知ることである。キサーゴータミーは、もはや子どもが生きていた時に戻れないことを知ったのである。

現代人であれば、一度も葬式を出したことがない家はいくらでもあるので、釈尊のいわれたことをしても、死を受け入れることはできないだろうが、写真や夢を見ることで時間は不可逆的で亡くなった人は決して蘇《よみがえ》ってこないことを知ることになるだろう。

過去の記憶が閉じ込められている写真を見ているのは「今」である。過去に戻らなければならない、過去に戻りたいと思っていると、写真やアルバムを、今ならハードディスクを探し出すだろう。

家族や自分にとって大切な人が亡くなり、毎日悲しみに泣き暮らしていた人もやがて思い出さなくなる。これは薄情だからではなく、生者は過去を後にして今を生きるようになるからである。

写真を見た時、懐かしいとは思うが、もはやこの時には戻れないと思う。今はデジタル写真なので昔と違って現像する必要がなく、プリントアウトすらしなくなった。そのため膨大なといっていいくらいたくさんの写真が私のパソコンのハードディスクには保存されているが、丹念に見直すことはない。ただ量が多いからではない。過去を振り返る必要がないからである。

亡くなった人の夢もやがて見なくなる。亡くなった親の夢を見るのは、まだ親との関係でやり残したことがあるということである。生前、親との関係がよくなかった人は和解することなく親と別れたことを悔やむ。親との関係は親の死後にも変わり続ける。親の死後も親のことを考え続ける。

母の夢はあまり見なくなった。母が三ヶ月の闘病後亡くなってからは長く母の夢をよく見ていたというのに。夢に出てくる母が死んでいることはすぐにわかった。母はギリシアの壺絵に描かれている死者のようにあらぬ方を見ていたからである。夢に母が現れなくなるまで、十年くらいかかった。

今も時々、父の夢を見る。決まって若い父だ。若い時はぶつかることもあった父だが、だんだんその時の記憶が薄れてくる。ある日、こんな夢を見た。

雨が降りそうだったので、傘を持っているかたずねようと思って父の乗っている車に近づいたら、助手席に母がすわっていた。母の夢を見なくなって久しかったので、私は生前と変わらない若い母の姿を見て驚いた。その時、私は思った。もう私は父の心配をしなくてもいいのだ、と。

あの日あの時の私

「あの日のあの時間に自分の一部分がまだ残っている」（吉田篤弘『流星シネマ』）。

8ミリフィルムを再生すれば、子どもの頃の自分や幼くして逝った友人の姿が残されているかもしれない。小説がこんなふうに展開していった時、「あの日のあの時間」に残された私から呼び出された気がした。

私の子ども時代に親は8ミリカメラを持っていなかったので、今の子どもたちとは違って私が映った動画は一つもない。一度だけ映写機を誰かから借りてきたのだろう、映像を見たことがあったが私がそこに映っていたわけではなく、また、音もしないので面白いと思わなかったことだけを覚えている。もしも私が映っている動画が残っていれば、そこには「記憶にない記憶が閉じ込められている」（前掲書）はずであり、きっと食い入るように見るだろう。

もちろん、写真にも「記憶にない記憶が閉じ込められている」はずだが、動きがあると写真では十分捉えられない生命を強く感じることができる。

自分の子どもが映っている動画であれば、当然小さい頃の子どもを知っているので間違いなくそれが我が子であるとわかるが、自分が映っている動画が残っていてそれを見たとしても、その時はたして自分だと確信できるのかわからない。写真でもこれがあなたの写真だと親からいわれてもそうかもしれないくらいにしか思えない。

なぜ自分だと確信できないのか。そこに映（写）っているのは「記憶にない記憶」だからだ。今の自分と連続していると思えたら、「これは私だ」と思えるのである。面影があるだけではそうは思えないだろう。

子どもの時の自分と今の自分とが連続していると思えるのは、過去のある時のことを記憶している時である。子どもの時の記憶の多くは断片的で、今となっては夢で見たことのようにも思うものもあるが、どんなにおぼろげな記憶でも残っていれば、「あの日のあの時間」に残された自分と今の自分はつながっていると感じられる。

ある日、私は陽《ひ》の当たる坂道を母に手を引かれて歩いていた。そのことを大人になってから、そのまさに同じ坂道を歩いていた時に忽然《こつぜん》と思い出した。思い出したといっても、母の顔は出てこない。私が何歳くらいのことだったかまったく見当がつかない。ようやく歩き始めた頃のことかもしれないし、もっと大きくなってからのことだったかもしれない。ともあれ、母が近くにいる、母に守られているという感覚だけが蘇ってきた。

もしもこの私と母が歩いている写真や動画が残されていることが後に判明して、それを見たとしたら私の記憶とは違うことに驚くだろう。私の記憶の中では、写真や動画にあるような細部がほとんどないからだ。

細部がないのは記憶が薄れてしまっていたからではない。私の記憶に細部は必要ないのである。もしも私に絵心があり、この日のことを描くことができるのであれば、私と母を後ろから、顔もその他細部も描かず、子どもの私が母に手を引かれていることだけがわかる絵を描くだろう。

この私の記憶にある輪郭すら定かでない思い出は本当の過去でないかといえばそうではない。同じ経験をした人たちがその時のことを語り合ったとしても、まったく同じように覚えているわけではない。細部の記憶は微妙に、あるいはかなり違っていることもある。それどころか、自分が経験したと思っていることを同じ場に居合わせていたはずの人がそんなことはなかったと否定することすらある。

若く逝った母にこの日のことをたずねることはもはやできないが、仮に二人で散歩したことなど一度もなかったと母がいったとしても、それでも、私にとっては、この日の出来事は間違いなくあったのである。

大人になってからのことであっても、過去のことをすべて覚えているわけでない。ところが、忘れていたはずの過去の出来事をふいに思い出すことがある。そもそもそんなことがあったことも知らなかったことをである。

過去が突如として頭を擡《もた》げるとすれば、「今」その過去が必要になったからである。反対に、ずっと忘れられない過去もある。忘れてはいけないと思うのは「今」そう思っているからである。

「今」必要でないことは思い出すことはない。父は亡くなった母のことを忘れてしまった。長く一緒に暮らした人のことを忘れるはずはないと最初は思ったが、自分には妻がいて、その妻は四半世紀も前に逝ったということを覚えていることが晩年の父にとって幸福なことだとは思えない。父は過去の記憶を封印したのだとわかった。だから、母のことを思い出させようと思って写真を見せたりすることには意味がないと思った。

父はその後、夢の中で母を見たといった。しかし、その人の顔をちらりと見たが、よくわからなかったという。父がこの話をした時、母のことを思い出したのかはわからない。父は母のことを忘れる決心をしていたので、夢の中に現れた人の顔をはっきりと見てはいけなかったのだろう。

対人関係で傷つきたくない人は他者と関わらないでおこうと思うために、つらかった経験を思い出す。つらかったという感覚だけが必要なのでこの場合も細部は必要ない。

過去は変わるのだろうか。過去のつらかった経験をなかったことにはできないが、「今」が変われば過去は変わる。過去が必要でなくなることもある。

今、まわりの人は必要があれば私を援助してくれると思え、一人でもその人とよい関係を築けるようになれば、つらかった「あの日あの時間」の自分を過去に置き去りにし、目を前に見据えて生きられるようになるだろう。

過去の経験から学ぶ

同じことを経験しても、その経験から何を学ぶかは人によって違う。何も学ばない人もいる。むしろ、学ばない人が多いかもしれない。

アドラーは次のようにいっている。

「ドイツ語は、独自の感情をこめて、人は経験を『作る』というが、これは、人が経験をどう使うかは、自分で決められるということを示しているのである」(『人間知の心理学』)

何かを経験すれば、その経験から何かしらのことを学ぶことができる。しかし、何かの経験をしたからといって、必ずその経験から学べるわけではない。大事なことは、何を経験するかではなく、経験から何を学ぶかである。経験に「よって」というよりは、経験を「通じて」、あるいは、経験をきっかけとして学ぶのである。

三木清は次のようにいっている。

「人生に於いて大切なことは『何を』経験するかに存せずして、それを『如何に』経験するかに存すると云うことを真に知れる人はまことに哲学的に恵まれた人である」(『語られざる哲学』)

森有正は「体験」と「経験」を区別している(森有正『生きることと考えること』)。人は自分が経験したことの中で、その一部分だけを特に貴重なものとして固定し、それがその後のその人のすべての行動を支配するようになることがある。つまり、経験の中のあるものが過去的なものになったままで現在に働きかけてくる。森はこれを「体験」と呼んでいる。

高齢の親が昔のことを何度も繰り返し語り、家族がそれを聞かされるたびに辟易《へきえき》することがある。この時、親は経験ではなく体験を語っているのである。

これに対して、経験の内容が絶えず新しいものによって壊され、新しいものとして成立し直されていくのが「経験」である。今経験することから学ぶことはできるが、過去に経験したことを回想することを通じて学ぶことができる。

過去に経験したことをいつも同じようにしか見なければ、経験は凝固し体験になってしまう。たった一度きりの経験であっても、絶えずその経験の意味を反芻《はんすう》し、そこに新しい意味を見出していけば体験ではなく「経験」になる。

親が繰り返し同じ話をするように見えても、いつもまったく同じ話をしているのではないかもしれない。また同じ話が始まったと思って親の話を聞くと、前とは違う話をしていることに気がつかないかもしれない。同じ出来事について話していても、重点の置き所が違うことがある。

リルケは、自分の詩を批評してもらうべく手紙を送ってきた若い詩人であるカプスに書いた返事の中で次のように書いている。

「もしあなたが牢獄に囚われていて、牢獄の壁が世のざわめきを少しもあなたの感覚に達することがないとしても――あなたにはそれでもあなたの幼年時代という、貴重な、王者のような富、この思い出の宝庫があるではありませんか。そこへあなたの注意を向けなさい」（Rilke, *Briefe an einen Jungen Dichter*）

心筋梗塞で倒れた時に、医師に、「これからどんなに状態が悪く、たとえ一歩も外に出て行くことができなくても、せめて本を書けるくらいにはよくしてほしい」といった時、私は今引いたリルケの手紙の一節を思い出した。

入院している間、世間から隔離されていた。季節が春から初夏に巡ったことも、病院の窓から外を見ているだけでは実感できなかった。退院後も同じような生活が続くと思った時、リルケの言葉は心に強く響いた。

幸い、治療は功を奏して、外に出かけることができるようになったが、やがて病気や加齢のために身体を思うように動かせなくなれば、再び内なる世界へ沈潜《ちんせん》することになるだろう。

人生は合理的ではない

　これからどんな人生を生きるかと計画をする人がいる。何か達成するべき目標を立てる。名の知れた大学に入学、卒業し、名の知れた企業に就職する。中学生が私にこれからの人生設計をとうとうと語ってくれたことがある。

「成績はいいので、高校に進学し、京都大学の法学部に行きます」

　卒業してからどうするつもりなのかとたずねたら、外交官になるという。どの大学に行きたいというところまでは考えている中学生はいても、その後、どんな仕事をするかまで考えている中学生は多くないので、頼もしい若者だといえるだろう。

「結婚は二十五歳でします」

　真顔でそういう中学生に、でも、「結婚は一人ではできないよ」といいたくなった。どういう根拠があって二十五歳で結婚できると思っているのか知りたいと思ったが、さらにこういった。

「子どもは一人ではかわいそうなので、二人作りたい」

これにも「あなたが産むわけではないでしょう」といいたくなったが、黙っていた。彼の人生設計にはまったく無駄がない。すべてが自分が思う通りに実現すると思っている。これまでずっと優秀な成績を収めてきたからだろうが、大学受験で失敗するとか、失恋するとか考えたこともないようだった。

この中学生が語った人生設計は成功を目指すものである。このことには二つ問題がある。まず、誰もが成功を目標にする人生設計をしなければならないわけではないということ。次に、そもそも人生を「設計」できるのかということである。

三木清によれば、成功は量的なものである。

一生懸命勉強していい成績を取れば目指す大学に入れる。何かについて学ぶことと試験でいい点数を取ることは同じことではないが、短時間で要領よく解答する技術を身につけなければ、試験でいい成績を取れず、したがって大学に合格することもできない。そう考える人は成功することを人生目標にしているのである。

しかし、成功を目指して無駄のない合理的な人生を生きなければならないのか。回り道をしたり、道草をしたりする人生であってもいいではないか。量的な成功を目指す人の人生は似通っている。大学や就職する会社は違っていても、将来設計は大きくは変わらない。結婚し、子どもを生み育て、マイホームを建てる。そのためには銀行からいくら借り、どのように返済していくかを考える。

このような人生は無駄がなく合理的である。しかし、そのような人生を送りたいと思っても、それがきわめて困難であることはすぐにわかる。

無駄のない人生を生きたいと思っていても、人生においてたびたびしなければならない選択は必ずしも合理的であるわけではない。合理的な選択をしたいと思っても、思いもよらない出来事が起こり、人生の行く手が阻まれる。

かつて、学生運動が激化して東京大学の入試が中止になったことがあった。どんなことがあっても東大に行きたいと思った学生は浪人することにしたが、京大を受験することにした学生もいた。そのため、京大のどの学部も前年よりも大幅に倍率が上がり、もともと京大に行くつもりだった学生が不合格になった。そうなると、その後の人生設計は大きく狂ってくる。

成功が「一般的」なものであるのに対して、幸福は質的なものであり、「各人においてオリジナルなものである」と三木はいう。

高校の同級生の一人が大学には行かないと言い出した時、どの大学に行くかは将来のことを考えて当然違うが、大学に行かないという選択肢があるとは思っていなかったので、私は驚いた。

しかし、人生で成功を目標にしなければ、大学に必ず行かなければならないわけではない。幸福を目指す人であれば、自分の人生が一般的でなくても一向に気にならない。

親が高学歴だと、子どもが中学を卒業してすぐに就職すると言い出したら、子どもが歩もうとしている人生がどんなものになるのかまったく見当もつかない。だから、反対する。もちろん、子ども自身もどうなるかわかってはいない。もしも思っていたような人生と違っていれば、その時にどうするかを考えればいいのである。

親ができるのは、子どもを追い詰めないことだけである。うまくいかなかったらやり直せばいいといえばいいのであって、決して「だからいわないことではない」などといってはいけないのである。

幸福は、質的でオリジナルなものであり一般的ではないので、他の人が羨《うらや》ましいとは思わず、それどころか理解できないことが多い。家業を継げば安定した人生が歩めるであろうに、何の躊躇《ちゅうちょ》も未練もなく、まわりの人から反対されても自分が生きたい人生を生きる人がいる。

働くことも同じである。どの仕事を引き受け、また断るかについては合理的な理由があるわけではない。報酬が多いほうがありがたい。しかし、いつも報酬の多寡で、引き受けるかどうかを決めているわけではない。

私の仕事は講演と執筆だが、一人でできる仕事の量は限られているので、すべての仕事を引き受けるわけにはいかない。依頼された仕事の中から選ぶしかないわけだが、仕事を選ぶ基準は必ずしも合理的ではないので、他の人に説明をするのが容易でないことがある。

強いていえば、面白いかどうかである。仕事はどれも真剣に取り組まなければならないので、時間とエネルギーが必要である。そうであれば、報酬がどれほど多くても、仕事をしている時に楽しくなければただ苦しいだけである。苦しいだけであることが予想される仕事の依頼は断ることにしている。

誰と仕事をするかも重要である。本を出す時は編集者がどんな人かは重要である。原稿を書いている時も、脱稿後、編集者から疑問点が指摘され、何度も何度も原稿の書き直しを求められる。

入院していた時、病気を理由に仕事を断ってもいいのかと主治医にたずねたことがあった。「もちろん、そうしなさい」という答が返ってきた。健康な時であれば断る理由を探さなければならないと思うが、病後であれば何のためらいもなく病気を理由にすることはできるはずである。仕事をするために生きているわけではないのだから、本当に大事なものを優先していけない理由はない。

私は入院してから少し元気になってベッドで起き上がれるようになると、近々出版されることになっていた本の校正に取り組んだ。

退院後、主治医が予想していたよりも元気になれた。しかし、仕事は極力断ることにした。病気を理由にしてもいいと主治医にいわれたものの、こんなに元気なのに仕事を断っていいものかと思った。高熱があって起き上がれないのならともかく、今は普通に生活できているのに、病気を理由に仕事を断ることは許されるのかなどと考えた。

しかし、一体、誰から許される必要があるのか。仕事をしたくないから嘘をついていると思われたくない？　誰に？

嘘をついているわけではない。心電図を撮ったら不整脈はないものの波形は異常である。心筋が壊死したところはもはや再生しない。もうすっかり健康なのだからと無理をすれば、結局困るのは自分であり、再度手術が必要になれば仕事ができなくなり、そのため多くの人の迷惑になる。

病気は仕事を断る時に考えていい合理的な理由だと思うが、しかし、本当は仕事を断る時に理由などいらない。ただ、したいか、したくないかということだけで決める。このように決めてからは迷うことはなくなり、気が楽になった。

価値観を見直す

コロナ禍の頃、不要不急の外出を控えるようにといわれたかと思えば、旅行に行くことが推奨されたり混乱の極みだった。外出全般ではなく不要不急の外出という限定がついたが、そうなると何をもって不要不急というのか判断するのが難しかった。

感染拡大防止ということであれば、旅行はもとより通勤もできないはずである。感染防止のことだけを考えれば全面的に外出を禁止するしかないが、それができないのは買い物にも出かけられなければ生きてはいけないからである。必要な外出と不要な外出とに分ける必要が出てくるが、この基準が曖昧《あいまい》で恣意《しい》的であるのが問題である。

後に旅行については扱いが変わったが、判断基準に「経済」が絡んでくるとたちまち話が複雑になる。通勤が禁止され誰も仕事に行かなくなると国の経済が回らない。国の経済が疲弊すると暮らしが成り立たなくなるというのである。

会社に出勤するのは、経済を回す必要があるからで、不要不急の外出ではない。在宅勤務ができない職種もある。出社できなければ生活していけない。しかし、満員電車で通勤すれば感染者は増えるだろう。

旅行は仕事ではないので不要不急である。しかし、電車や飛行機に乗り、ホテルや旅館に宿泊し、旅先で食事をし土産を買えば経済効果が上がる。しかし、旅行に行けば感染拡大のリスクがあるが、たとえ感染者が増えても経済の方が大切である。混乱の極みである。もう一つ問題がある。生命と「自由」が対置され、生命が優先される時に起きる問題である。

生命が尊重されなければならないことはいうまでもないが、感染拡大を防ぐために自由が制限される。そのことでコロナウイルスが終息するのであれば自由が制限されることは致し方ないと考える人たちは、政府が自由を制限しても従う。私が危惧するのは、この事態が一時的なものですまないかもしれないということである。

今の時代はコロナウイルス禍でこれまでも問題だったことが顕在化してきている。「こんな時代だから」と従来と違う行動を強いられるが、本当に必要なことなのかは自分で判断できなければならない。外出するかしないか、また、マスクをするかしないかも専門家

（政治家ではない）の知見に基づいて判断できなければならない。

　無批判に従っていれば、敵国から攻め入られた時に国民の命を守らないといけないと、防衛費を増やし、そのために増税されることを無批判に受け入れてしまうことになる。

たとえ今ウイルスに感染していなくても、可能的に病者であることを自覚しただけで、本来的には経済や生産性を重視する価値観は揺らぐはずである。価値があると思えたものもそうではないことを病気になった時（あるいは、なるかもしれない時）に思い当たる。

　それなのに、自分だけは感染などしないと思い込んでいる人が、従前の価値観から脱することができない。今のような状況でもなお経済を回す必要があるという。同じように考える人が多いので、感染者数が減るどころか増えてしまって、もう以前と変わることのない生活を送っている人が多いことに私は驚く。

　生命と経済は両立しない。他方、生命を守るために自由を制限していいとは思わない。無論、これは何もしなくていいという意味ではない。多和田葉子が次のようにいっている。

「日本は、じっとうつむいて待っていればコロナは自然と去っていく、と思っている人も多いのではないですか。ただ、うつむいてしまうと、世界の状況が見えなくなってしまいます。うつむいている人たちを揺り起こしたい、危機なんだと揺さぶりたい、大きな風景

を見せたい」（ただコロナに耐える日本は不思議　多和田葉子さんの視点『朝日新聞』二〇二〇年九月三日）

それでは、今何をしなければならないのか。コロナウイルスに感染しない、感染させないための配慮は当然しなければならないが、それだけではない。私はそれは価値観の見直しだと考える。

未来へ残す

今ここを生きることは、刹那《せつな》主義ではないかと考える人がいる。未来への関心がないというふうにもいわれることもある。

人は今ここでしか生きることはできない。明日という日は何事もなければやってくるだろう。しかし、明日起こることを今日想像することはできても、明日という日になると前日に予想していたようには決してならない。明日は久しぶりに友人と会って楽しい一時を過ごせるだろうと思っていたところ、大喧嘩をするということはありうる。先のことをどれほど思い煩ってみても、未来は「未《いま》だ来らず」というより、端的に「ない」。だから、先のことを考えても意味がないといえる。

アドラーが「共同体」をどのように定義しているかを見れば、アドラーが未来に関心を持っていることがわかる。アドラーが考える共同体の範囲は広い。自分が所属している家族、学校、職場、国家、そして人類も超え、生きているものも生きていないものも、すべてを含めた宇宙全体を指している。時間軸でいえば、過去、現在、未来すべてを含む。つまり、未来の人類も我々の共同体としてアドラーは考えているのである。

そう考えると、今ここを生きるというのは我々が生きているこの時代さえよければそれでいいという考えにはならない。十年後、二十年後、百年後、未来永劫にわたる人類のことまで考えて生きていかなければならない。原発事故によって我々は負の遺産を後世に残してしまったが、負の遺産を共同体に所属する子孫に残すのは決して許されることではないのである。

今さえよければいい、自分さえよければいいと思う人が増えたのは、これまでの教育の失敗だと思う。教育の失敗の結果が今の時代なのではないかと思う。

何が問題かというと、人がいっていることを鵜呑《うの》みにしてしまう人があまりに多いことである。例えば、SNSが盛んなこの時代に、情報ソースの検証もしないままリツイートをしてしまう。誤った情報はたちまち拡散する。

そのまま無批判に受けいれないで、若い人たちが自分の力で考えて、これははたして本当なのだろうかと検証する力をつけていくことこそが教育である。

教育は手間暇がかかる。即効性がない。しかし、だからこそ、時間と手間をかけて大人が若い人の教育に尽力しなければいけない。

ところが、その大人が若い人に何を教えているか。成功することこそが人生の目標だと教えようとしている。成功すれば幸福になる。本当にそうなのか考える人は多くない。今でも一流大学を出て一流企業に入ったら幸福だと思っている親や教師が多い。もはやそういう時代ではないということに親も教師も気づくべきである。

人が重要なことに気づくのは、病気になった時である。そのことに気づくために病気になる必要はないが、健康な時はいつまでも生きられると思っていた人でも、明日という日がくることが決して自明ではないことに気づいて愕然《がくぜん》とする。

今は、新型コロナの流行により、いつ誰が感染してもおかしくない時代になった。いつ何時、ウイルスに感染するかわからないという意味では、今は誰もが可能的に病者である。だからこそ、今お金や名声、社会的地位があることではなく、生きていることがそれだけでいかにありがたいことかを年長者は若者に教えないといけない。

そして、若者がそう思えるためには、他者に貢献しているという実感が必要である。若者は大人から成功しないといけないといわれてきた。成功して得たお金で他者に貢献できないわけではないが、誰もがそうしなければならないわけではない。

共同体において、人は一人で生きることはできない。常に互いに影響し合いながら生きている。子どもの頃は大人からの援助がなければ生きることはできなかった。大人の援助がなくても生きられるようになった若者は、今度は他者に貢献してほしい。

しかし、その貢献は何かを成し遂げることによってでなくてもいい。成功しなくてもいい。人は生きているだけで貢献できる。誰もが幼い子どもと同じように、生きていることだけで貢献できるのである。一人ひとりの力は、自分が思っている以上に大きい。そのことを大人は若い人に教えなければならない。

最初に、自分さえよければいいという人について見たが、自国だけよければいいという考えも間違っている。原発事故があった時も、コロナウイルスの感染が広まった時も、どちらも国家という枠組みを超えて被害、感染が広まったことからわかったように、自国だけが生き残ることなどありえないのである。

自国中心主義の人が多いのも教育の失敗である。国家同士も競争ではなく、協力していくことが必要である。グローバルな視点で物事を考えていけるためには、従前の価値観から脱却しなければならない。

心に希望さえあれば

「心に希望さえあれば、人間はどんな苦難にも堪えてゆくことができる」（三木清「心に希望を」）

苦境にある人は希望を持つことなどできない、希望があっても苦難に堪えていけないと思うだろう。

一体、三木清はどんな希望のことをここで語っているのか。

「人生は運命であるように、人生は希望である。運命的な存在である人間にとって生きていることは希望を持っていることである」（『人生論ノート』）

「人生は運命である」と三木がいう時、そこには特別な意味がある。普通は、運命といえば、これから何が起きるかがすべて決まっていて、運命に抗《あらが》うことはできないと考えられる。しかし、三木は人生においては何事にも必然と偶然の両面があるという。

「人生においては何事も偶然である。しかしまた人生においては何事も必然である。このような人生を我々は運命と称している。もし一切が必然であるなら運命というものは考えられないであろう。だがもし一切が偶然であるなら運命というものはまた考えられないであろう。偶然のものが必然の、必然のものが偶然の意味をもっている故に、人生は運命なのである」(前掲書)

すべてが偶然であれば、運命はない。朝、駅ですれ違う人、同じ車両に乗り合わせた人との出会いは偶然でしかない。他方、何もかも自然界の法則のようにすべてが決まっているのなら、起こったことを運命と感じることはないだろう。

それでは、どんな時に運命を感じるか。何かを経験した時にはそのことを偶然のようにしか思えなくても、後に振り返ったら偶然以上のものだったと感じる時である。

もちろん、過剰な意味づけをしてしまうことはある。実際には運命でも何でもないのに運命だと思いたいからである。

それでも、もしもあの時、あの人と会わなかったら、もしもあの時あの本をたまたま手にしていなかったら、今の自分はないというような経験をした人は、「偶然のものが必然の、必然のものが偶然の意味を持っているゆえに、人生は運命なのである」という三木の言葉をたしかにそうだと思えるだろう。

現実は圧倒的な力でわれわれの前に立ちはだかるが、現実に働きかけることができる。すべてが必然であれば希望はないが、希望があれば現実に働きかけ、人生を形作ることができる。

とはいえ、現実は厳しい。人生で一度も躓《つまず》かなかった人はいないだろう。こうあってほしいと望んでもその通りにはならない。そんな経験をしなかった人もいないだろう。

そもそも、誰も親や時代、国を選んで生まれてくるのではない。今という時代に、この国でこの親の元に生まれてきたというのは偶然である。

しかし、生まれてきたのが自分の決心によらなくても、世界は「単に偶然的に出会うテユケー(偶然)ではなく、同時に我々の決意によらず既にもはやそこに与えられたものとしてアナンケー(必然)」(『哲学的人間学』)という意味を持っている。この意味で生まれてきたことは運命である。

生まれてきたことだけではなく、その後の人生においても様々な偶然を経験する。突然、病気になる。事故や災害に遭う。いつどのように死ぬかも決めることはできない。

九鬼周造は運命について、次のようにいっている。

「偶然な事柄であってそれが人間の生存にとって非常に大きい意味をもっている場合に運命というのであります」（「偶然と運命」『九鬼周造随筆集』）

何かの出来事に遭遇し、誰かと出会ったことが人間の生存全体を揺り動かすような意味を持ったものと人が見なした時に、これは自分にとって運命だったと思うのである。

そのような運命的な出会いや経験をしなかったら今の自分はどうなっていただろうと思うことがある。しかし、偶然的な経験や出会いに意味を与えるのは自分なのだから、そのような機会を逸したからといって不幸になるのでも、そのような機会を摑《つか》み取ったから幸福になるのでもない。人生はいつでも変えられる。

なぜ運命によって人生が変わったと思うかといえば、何か運命的な経験をし、誰かと運命的な出会いをしたことが希望を与えるからである。

三木は、「私は未来へのよき希望を失うことができなかった」といっている（『語られざる哲学』）。なぜ三木が希望を「失わなかった」ではなく、「失うことができなかった」といっているかといえば、希望は他者から与えられるものだからである。

たとえ自分は絶望しても、他者から希望が与えられる。回復が望めない病気であっても、病気になった時に、自分がどんな状態であっても、人との出会いが生きる希望を与える。

入院したことを知らせたくない人がいた。明日の命もどうなるかわからない状況で仕事のことを気をかけている場合ではなかったが、仕事を失いたくなかったのである。だから、病床でパソコンを使えるようになったら、何事もなかったようにメールを送った。

入院の知らせを聞いて駆けつけてくれた人、メールを送ってきた人も多かった。家族が心配しないとはもちろん思わなかったが、自分のことを心配してくれる人が多いことにはとまどった。それを知った時に、自分が一人で生きているわけではないことを実感した。

希望は他者から与えられるということは、自分では何もできないということではない。そのような他者との出会いは決して偶然ではない。出会いを運命的なものと思えるようになるためには、他者への信頼感がなければならない。他者を信頼するかどうかは私が決断しなければならないのである。

生きがいは「今」ある

神谷美恵子は、生きがい感と幸福感とを区別している。

「生きがい感には幸福感の場合よりも一層はっきりと未来にむかう心の姿勢がある」（『生きがいについて』）

幸福は今感じるものであることについては、これまで見てきた通りである。生きがいは「一層はっきりと未来にむかう心の姿勢がある」と神谷がいっているのは「生きがい感」は「今」感じることはあるが、「未来」に向かうもの、生きがいは「未来」に感じるものである。

神谷は次のようにいっている。

「現在の生活を暗たんとしたものに感じても、将来に明るい希望なり目標なりがあれば、それへむかって歩んで行く道程として現在に生きがいが感じられうる」（前掲書）

神谷によれば、生きがいは今感じられることもあるが、そのためには将来に明るい希望や目標がなければならない。明るい希望や目標があれば、今の生活が暗澹《あんたん》たるものであっても、それに向かう道程として今生きがいを感じられるということである。

「現在の幸福と未来の希望と、どちらが人間の生きがいにとって大切かといえば、いうまでもなく希望のほうであろう」（前掲書）

しかし、今は苦しくても、将来に「明るい希望なり目標」があれば生きがいを感じられるというのであれば、老後、十分な貯えがなく生きるために働かざるをえないようでは、老後に明るい希望を持てず生きがいを感じられないことになる。

神谷はいう。

「はっきりした終末観をもつ信仰の持主には、この確固たる未来展望がおどろくべき強さをもたらし、現在のあらゆる苦難に耐える力を与える」（前掲書）

たとえ今どんなに苦しくても、死後に必ず救済されると信じられれば、苦難に耐えることができるのだろう。しかし、そのような信仰を持たない人は、未来に明るい希望を持つことはできないことになる。未来に希望を持てなければ、現在の苦難に耐えることはできないのか。「おどろくべき強さ」を持てない人はどうすればいいのか。

働こうにも身体の自由が利かないかもしれない。病気になり、しかもその病気が治癒困難であるといわれたら未来に明るい希望は持てない。その時、生きがいを感じられないことになる。

次に、神谷は生きがい感の方が「自我の中心」に迫っているのに対し、幸福感は「自我の一部」だけで感じるものであるという。

「多くの男のひとにとって家庭生活の幸福は、それだけで全面的な生きがい感をうむものではなかろう」（前掲書）

若い頃から子どもたちと過ごすことが多かった私はこんなふうには感じなかった。

「ところがどんなに苦労の多い仕事でも、これは自分でなければできない仕事である、と感ずるだけでも生きがいをおぼえることが多い」（前掲書）

家庭生活の喜びだけでは生きがいを感じられず、家事や子育ては自分でなくてもできる一段価値の劣るものと神谷は考えているように見える。

第三に、生きがい感には「価値の認識」が含まれることが多いと神谷はいう。自分がしていることに意味や価値があると思えなければ、生きがいを感じられないということである。

子どもの健やかな寝顔を見て心が安らぐというようなことは「幸福感」ではあっても、「生きがい感」にはならないのか。子育てや家事、介護には生きがいを感じられず、生きがいを感じるためにはそれとは別のこと、例えば外で働かなければならないのか。私はそうは思わない。

仕事はたしかに自分でなければできない面はあるが、他の誰かが代われない仕事はない。定年を迎えた人が自分が会社を辞めたら皆が困るだろうと思って、退職後もなお毎日会社に顔を出して嫌がられることがある。

しかし、子育てや介護は自分でなければできない。保育士や看護師、介護士は家族より見事に子育てや介護ができるだろうが、それでも他ならぬ「この」子どもの、また、親の子育て、介護は「この」私でないとできない面はある。もちろん、だからといって子育てや介護は家族がするべきだということではないが。

仕事と子育てや介護を比べることはできない。仕事にも価値はあるが、子育てや介護にも価値はある。

神谷は植物学者の神谷宣郎と結婚、生活のために語学教師をしながら生活を支えていた。神谷は次のように書いている。

「研究している主人にアルバイトさせる気は初めから私になかった。せめて主人だけでも学者として大成して欲しいという願いは一貫してつづいている」（『遍歴』）

「他人のためにこまごました用をして、それだけで満足していられる女らしい女の人たちがうらやましい」（『神谷美恵子日記』）

日記には、医師として働く神谷の普通の主婦になりきれない苦悩が切々と語られている。子育てに忙殺され、自分がしたいことができないという神谷の気持ちに共感する人は多いかもしれない。忙事が未来に感じる生きがいを妨げると思う。

しかし、神谷のように思うのは、「今」に満足できないからではないか。「こまごました用」をするその時々に心が向いていないからではないか。

できることは、今の幸福と未来の生きがいというふうに分けないことである。そのためには、希望を未来に結び付けないことが必要である。現在の幸福と未来の希望のいずれかを選ぶとすれば、現在の幸福を選ぶ。

そうすれば、日常の生活の中でふと感じる幸福が生きがいになる。何かを成し遂げなくてもいい。病気の回復が望めない時でも、今幸福を感じることができる。

三木清が次のようにいっている。

「自分の希望はFという女と結婚することである。自分の希望はVという町に住むことである。自分の希望はPという地位を得ることである。等々。ひとはこのように語っている」（『人生論ノート』）

三木は、これは希望ではなく、欲望、目的、期待であるという。期待について、三木は次のようにいっている。

「希望を持つことはやがて失望することである。だから失望の苦しみを味いたくない者は初めから希望を持たないのが宜《よ》い、といわれる。しかしながら、失われる希望というものは希望でなく、却《かえ》って期待という如きものである。個々の内容の希望は失われることが多いであろう。しかも決して失われることのないものが本来の希望なのである」（前掲書）

欲望、目的、期待は叶わないことがある。しかし、本来の希望は失われない。ここで三木が例としてあげている「Fという女と結婚する」というようなことは、本来の希望ではないのである。「個々の内容の希望」は「期待」であり、これが「本来の希望」と対比されている。

この本来の希望が、存在としての幸福である。何も達成しなくても幸福で「ある」。何も成し遂げなくても、自分が他者と結びついていると思えたなら、たとえ病気のために自分の夢や希望（実は期待）が実現しなくても幸福であることができる。

希望を未来に結びつけなくてもいい。「今」幸福で「ある」ことそれ自体が希望なのである。

人はどこからきてどこへ行くのか〜終わりに

　ある作家が、「その問いへの答えはまだ見つかっていない」とインタビューの中で答えているのを読んだことがあった。答えが出ない問いはいくらでもある。問いを立てた以上、答えに到達しないといけないと思ってしまうが、まだ見つかっていないといってもいいのかと少し肩の荷が降りた気がした。人生の終わりになっても、答えを見出せない問いはいくらでもある。

　答えがない問いの中でとりわけ難しいのは「人はどこからきてどこへ行くのか」という問いである。この問いに対して答えを出せる人は誰もいない。生まれた時のことを覚えている人はいないし、死んだ人はこの世に戻ってこないからである。しかし、だからといって生きていけないわけではない。

「死は、もろもろの悪いもののうちで最も恐ろしいものとされているが、じつはわれわれにとって何ものでもないのである。なぜかといえば、われわれが存するかぎり、死は現に存在せず、死が現に存するときには、もはやわれわれは存在しないからである」（エピクロス『エピクロス　教説と手紙』）

生きている間は死は私にとって存在しない。そして、死んだ時、私は存在しない。だから、死は恐ろしいことではない。そうエピクロスはいおうとしている。

しかし、話はそんなに単純にはいかない。エピクロスがいっているのとは違って、死は生の直下にあるからである。死は生きている間は存在しないというのは理論的にはそうであっても、ふと死を思って不安になることがある。そうなると、死の不安にとらわれて、何も手につかなくなることがある。

十年以上前に出版した本の中に、「死は人生の最後になってようやく訪れるというものではない。夜中にふと目が覚めた時に心臓の高鳴りを聞いて、自分が今しがたまで死の間近にいたことに思い当たらなかった人はないだろう」と書いたら校正刷りに「私はない」と編集者の書き込みがあって驚いた。きっとこの人は夜中に一度も目覚めることなく健やかに眠れる人なのだろうと思った。

死が怖いものではないと確信できれば、死の不安から逃れられるだろうが、知らないものについて、そのように確信することはできないだろう。しかし、知らないから恐ろしいというのはおかしい。死は怖いと考えるのは、知らないのに知っていると考えることだからである。

ソクラテスは、死を恐れるというのは、知らないことを知っていると思うことであるといっている。

「なぜなら、誰も死を知らないからだ。死はひょっとしたら人間にとってすべての善きものの中で最大のものかもしれないのだ。それなのに、悪いものの中で最大のものであると知っているように恐れているのだ」（プラトン『ソクラテスの弁明』）

死がどういうものかは、他者の死から想像するしかない。しかし、他者の死は不在である。死がどんなものであっても、それが別れであることは間違いない。別れの悲しみはなかなか癒えない。それでも、時間が経てば悲しみが和らぐというのも本当である。自分が死ねば家族は悲しむだろうが、その悲しみもいつまでも続くことはなく、いつかは自分が生きていたということも忘れられるだろう。

他者の死が不在であるのに対して、自分自身の死は不在ではなく、無になることである。もちろん、それがどんなものなのかは、誰も死んでこの世界に生還した人はいないのだから、わかりようがない。地獄の業火《ごうか》に焼かれるなどということを恐れる人はいないだろう。

もしもそんな目に遭うとしたら、死んでも無になるわけではないのだから、死んで無になることよりもまだ救いがあると考える人がいるかもしれない。業火に焼かれるのはかなわないが。

死ねば無になることを恐れる人はいるだろう。今は苦しいこともあるが、それも含めて死ねば何も感じなくなる。何も感じないのであれば恐怖すら感じないはずだが、自分が無になるかもしれないと思うと理屈ではない恐怖を引き起こす。

小学生の時、私を可愛《かわい》がってくれた祖父が、続けて祖母、弟が亡くなった時、それまでまったく意識していなかった死を強く意識するようになった。その時、考えたのは、今は意識があって考えたり感じたりできるが、無になるとしたらこれほど怖いことはないと考えたのである。

ところが、ソクラテスは死は次の二つのどちらかだという。

「まったく無のようなもので死者には何についてもどんな感覚もないのか、あるいは、言い伝えにあるように、ある変化であり、魂にとってこの場所から他の場所へと移り住むことであるかのどちらかである」（プラトン、前掲書）

ソクラテスは、このどちらかであれば、死が善いものであるという大きな希望があると考えている。後者については、残された人がこのような考えを支持することはよくわかる。そして、いつか自分が死んだ時に「他の場所にいる」はずの先に逝った人と再会できるという希望を持てたら、死別の悲しみは少しは和らぐかもしれない。しかし、これはかりは実際にそのようなものであるかは誰にもわからない。

死がまったく無のようなものであり、何一つ感覚がないという可能性をソクラテスがあげ、死が善きものであると考えていい根拠だといっていることは、死が無であることを恐れた私とは真逆である。

「感覚がまったくなく、人が寝て、夢一つさえ見ない時の眠りのようなものであれば、死は驚くほどの儲けものということになるだろう。なぜなら、もしも夢を見ないほど熟睡した夜を選び出し、自分の全人生の他の夜と昼をその夜と並べて比べ、この夜よりも楽しく生きた昼と夜が自分の生涯でどれだけあったかいわなければならないとしたら、思うに、誰か普通の人だけでなく、ペルシア大王といえども、そういう昼夜がそうでない他の昼夜に比べてごく数えられるほどわずかしかないことを発見するだろう。だから、死がこのようなものであれば、儲けものだと私はいうのだ。なぜなら、全時間はこのようなものであれば一夜よりも少しも長くはないと見えるからだ」(前掲書)

今は無になることを前ほど恐れていない。これはバイパス手術を受けた時の全身麻酔の体験によるところが大きい。常は夜眠っている時、完全に眠ることはない。どこかが起きている。だから、よほど疲れているのでなければ、ベッドから落ちることはないのである。子どもが夜中にぐずついた時も、すぐに目が覚めた。

ところが、全身麻酔は違う。手術室に運ばれた時、「動脈ライン確保」という医師の声は聞いたが、その直後、意識を失った。幕が下ろされたかのようだった。すべてが消えた。次に気がついたのは、喉から管が抜かれている時だった。その時、医師の手を払いのけようとしていたと記憶しているが、これは後になって、中学生の時に交通事故に遭って傷の処置をしていた看護師の手を払った記憶と混同しているかもしれない。

全身麻酔から目覚めた時、仮死状態から生還したことが嬉しかったというよりは、心地よい状態から無理やり現実に引き戻される思いがした。もちろん、感覚のない状態にいたのだから、それが心地がよかったかどうかはわからないはずなのだが。

できることなら死から目を背けたい。しかし、目を背けてみても死がなくなるわけではない。誰も死から免れることはできない。

死は既知に還元し、属性化することはできない。既知に還元するというのは、死を「この場所から他の場所へと移り住むこと」というふうに、既に知っているイメージを当てはめようとすることである。

しかし、死は理解できない。理解できないというのは、先に見たように、comprendre（包摂）できない、自分の理解を超えるところがあるという意味である。天国に旅立つという言い方はよくされるが、生と死には絶対的な断絶があると私は考えている。

死にはどう向き合えばいいだろうか。死はそれだけが特別なこととして生と別にあるわけではない。人が死ぬ前は存在せず、生の終わりに初めて対面するというようなものではない。エピクロスがいっているように、その時もはやわれわれは存在しないかはわからないが、少なくとも生きている間も、死と向き合うしかない。

生きている間に向き合う死は死そのものでないとしても、生の中に間違いなく存在する。そうであれば、他の人生の課題と同じく、死に向き合うことをためらってはいけない。

問題は、死という人生の課題の場合、他の課題と違って、そのあり方を変えることはできないということである。われわれを待ち受けている死がどのようなものであっても、生き方を変えてはいけないのである。

それでは、どのような生き方をすればいいのか。生きている間、死についてまったく考えないということはないだろう。しかし、いつ死ぬ日がくるかと死ぬことばかり思って生きることはない。死のことばかり考えるのは、ワーカホリックな人が頭から仕事のことが離れないのと同じである。

愛する人と充実した時間を過ごした人にとっては、次にいつ会うかは問題にならない。長い時間一緒に過ごしたのに満たされなかった人は、次に会う機会に賭けようとする。だから、次に会う約束を別れる前に何としても取り付けようと思う。

しかし、「次」のことなど誰にもわからないのである。ただ「今」会うことができるだけであって、次に再会できるかどうかはわからない。今日会えたことは次に会うことの保証にはならない。だから、今日の出会いを大切にしなければならない。

同様に、今ここで満たされていれば、人生の後に人を待ち受けている死がどんなものであるかは問題にならなくなる。

それにしても、生きることは苦しい。プラトンは次のようにいっている。

「どの生きものにとっても、生まれてくるというのは、初めからつらいことなのだ」（『エピノミス』）

だから、ギリシア人にとっては、生まれてこないのが何にもまさる幸福であり、次に幸福なのは、生まれてきたからには、できるだけ早く死ぬことだった。しかし、苦しみを経験することは人間にとって不幸なことなのだろうか。

長崎で被爆した林京子は次のようにいっている。

「十四で逝った友人たちは、青年の美しさも、強く優しい腕に抱かれることもなく、去っていったのである。恋する楽しさ、胸の苦しさを、味わわせてやりたかった」(『長い時間をかけた人間の経験』)

母が若く逝った弟(私の叔父)について同じようなことを私にいったことがあったのを思い出した。アテナイの政治家であるソロンはいう。

「人間は生きている間にいろいろと見たくもないものを見なければならず、遭いたくもないものにも遭わなければならない」

それでも、死ねばそういうことも経験できないのである。

母の最後を看取れなかったことを最近もずっと考え続けていたからだろうか、ある夜、夢を見た。母が倒れたという知らせを受けた。急いで駆け付けたのは、私が昔よく散歩していた川沿いの道の草叢《くさむら》だった。そこに母は仰向けに倒れていた。

母が脳梗塞で倒れた時、再度の発作を起こしてからは見る間に悪化したので脳神経外科のある病院に移ることになった。母をストレッチャー（担送車）に乗せた時、母は陽の光を眩《まぶ》しがったが、夢の中で見た母は少しも眩しそうではなかった。母の瞳に私が映っていたかまではわからなかった。

【参考文献】

Bottome, Phyllis. *Alfred Adler: A Portrait from Life*, Vanguard Press, 1957.

Burnet, J. ed. *Platonis Opera, 5 vols.*, Oxford University Press, 1899-1906.

Descartes, *Le Descours de la Méthode*, Œuvres philosophique, Tome I, Garnier Frères, 1963.

Laing, R D. *Self and Others*, Pantheon Books, 1961.

Maugham, Sommerset. *Summing Up*, Vintage Classics 2010.

Rilke, Rainer Maria. *Briefe an einen jungen Dichter*, Insel Verlag, 1975.

Sicher, Lydia. *The Collected Works of Lydia Sicher: Adlerian Perspective*, Davidson, Adele ed., QED Press, 1991.

"Krankengeschichte", In Weizäcker, Victor von. *Gesammelte Schriften 5*, Suhrkampf Verlag, 1987.

김연수 『청춘의 문장들』 마음산책 , 2004.

김연수 『세계의 끝 여자친구』 문학동네 , 2009.

アドラー、アルフレッド『人間知の心理学』岸見一郎訳、アルテ、二〇〇八年

アドラー、アルフレッド『性格の心理学』岸見一郎訳、アルテ、二〇〇九年

アドラー、アルフレッド『教育困難な子どもたち』岸見一郎訳、アルテ、二〇〇九年

アドラー、アルフレッド『人生の意味の心理学（上）』岸見一郎訳、アルテ、二〇一〇年

アドラー、アルフレッド『人生の意味の心理学（下）』岸見一郎訳、アルテ、二〇一〇年

アドラー、アルフレッド『個人心理学講義』岸見一郎訳、アルテ、二〇一二年

アドラー、アルフレッド『子どもの教育』岸見一郎訳、アルテ、二〇一四年

アドラー、アルフレッド『人はなぜ神経症になるのか』岸見一郎訳、アルテ、二〇一四年

天野健太郎『風景と自由　天野健太郎句文集』新泉社、二〇二〇年

ヴァイツゼカー、ヴィクトール・フォン『自然と精神／出会いと決断　ある医師の回想』木村敏、丸橋裕監訳、法政大学出版会、二〇二〇年

エピクロス『エピクロス　教説と手紙』出隆・岩崎允胤訳、岩波書店、一九五九年

加藤周一『小さな花』かもがわ出版、二〇〇三年

神谷美恵子『遍歴』みすず書房、一九八〇年

神谷美恵子『神谷美恵子日記』KADOKAWA、二〇〇二年
神谷美恵子『生きがいについて』みすず書房、二〇〇四年
河野裕子・永田和宏『たとえば君』文藝春秋、二〇一一年
岸見一郎『『人生論ノート』を読む』白澤社、二〇一六年
岸見一郎『希望について』白澤社、二〇一七年
岸見一郎『シリーズ世界の思想　プラトン　ソクラテスの弁明』KADOKAWA、二〇一八年
木村敏『精神医学から臨床哲学へ』ミネルヴァ書房、二〇一〇年
九鬼周造『九鬼周造随筆集』菅野昭正編、岩波書店、一九九一年
クリシュナムルティ『子供達との対話』藤仲孝司訳、平河出版社、一九九二年
呉明益『歩道橋の魔術師』天野健太郎訳、白水社、二〇一五年
呉明益『自転車泥棒』天野健太郎訳、文藝春秋、二〇一八年
徐京植、多和田葉子『ソウル―ベルリン玉突き書簡』岩波書店、二〇〇八年
辻邦生『森有正』筑摩書房、一九八〇年
辻邦生『海そして変容　パリの手記I』河出書房新社、一九八四年
多田富雄『寡黙なる巨人』集英社、二〇〇七年
ジョルダーノ、パオロ『コロナ時代の僕ら』飯田涼介訳、早川書房、二〇二〇年
ドストエフスキー『白痴』木村浩訳、新潮社、一九七〇年
西田幾多郎『続思索と体験・『続思索と体験』以後』岩波書店、一九八〇年
西田幾多郎『西田幾多郎歌集』上田薫編、岩波書店、二〇〇九年
林京子『長い時間をかけた人間の経験』講談社、二〇〇五年
北條民雄『いのちの初夜』角川書店、一九五五年
ポルピュリオス『プロティノスの一生と彼の著作の順序について（プロティノス伝）』水池宗明訳、『世界の名著　続2』一九七六年
三木清『人生論ノート』新潮社、一九五四年

三木清『三木清全集』岩波書店、一九六六年～一九六八年
三木清『哲学的人間学』（『三木清全集』第十八巻所収、一九六八年所収）
三木清「婦人と学校」（『現代の記録』『三木清全集』第十六巻、一九六八年）
三木清『語られざる哲学』『人生論ノート』KADOKAWA、二〇一七年所収）
三木清「心に希望を」（『続現代の記録』『三木清全集』第十六巻所収、一九六八年所収）
村上春樹編、訳『月曜日は最悪だとみんなは言うけれど』中央公論新社、二〇〇〇年
森有正『生きることと考えること』講談社、一九七〇年
森有正『流れのほとりにて』（『森有正全集1』筑摩書房、一九七八年所収）
森有正『バビロンの流れのほとりにて』（『森有正全集1』筑摩書房、一九七八年所収）
森有正『旅の空の下で』（『森有正全集4』筑摩書房、一九七八年所収）
龍膺台『父を見送る』白水社、二〇一五年
八木誠一、得永幸子『終をみつめて』ぷねうま舎、二〇一七年
山本七平『空気の研究』文藝春秋、二〇一八年
山本安美子『石橋秀野の一〇〇句を読む』飯塚書店、二〇一〇年
吉田篤弘『流星シネマ』角川春樹事務所、二〇二〇年
ロス、エリザベス・キューブラー／ケスラー、デーヴィッド『ライフ・レッスン』上野圭一訳、角川書店、二〇〇一年